KB076745

시한부 직장인 생존투자법

시한부 직장인 생존투자법

발 행 | 2024년 01월 28일
저 자 | 최우형
펴낸이 | 한건희
펴낸곳 | 주식회사 부크크
출판사등록 | 2014.07.15(제2014-16호)
주 소 | 서울특별시 금천구 가산디지털1로 119 SK트윈타워 A동 305호
전 화 | 1670-8316
이메일 | info@bookk.co.kr

ISBN | 979-11-410-6889-9

www.bookk.co.kr

시한부 직장인 생존투자법

최우형 지음

목차

들어가며

이 책에서는 기업 가치 분석이나 차트의 기술적인 분석에 대해 다루지 않는다. 이제는 인터넷 검색 몇 번으로 주식 전문가들의 다양한 차트 분석 기법과 기업 가치 평가 방법을 쉽게 배울 수 있다. 서점에는 마크 미너비니와 같은 트레이딩 전문가들부터 레이 달리오, 워런 버핏과 같은 가치 투자 대가들의 투자론이 다양하게 진열되어 있다. 당신이 찾는 것이 주식 교과서라면 이 책이 아닌 다른 투자 대가들의 책을 읽는 것을 추천한다. 애초에 대부분의 일반 직장인 투자자들이 시장에서 손실을 보는 이유는 정보가 부족하기 때문이 아니다. 매매 기법이 부족해서라거나, 좋은 기업을 보는 눈이 없어서도 아니다.

사회 초년생 대다수가 그렇듯, 필자 역시 평범한 직장인이다. 다만 남들과 다른 점은 조금 더 투자에 관심이 많아서 다양한 투자를 해 왔고, 상승장과 하락장을 버티며 수익을 내고 있다는 점이다. 이 책은 주로 금융 상품 투자에 집중하지만, 주식 외에도 주류(와인, 위스키), 미술품, 명품, 귀금속과 같이 일상의 많은 것들이 투자 상품이 될 수 있다. 실제 이러한 품목들은 지난 수십 년 간 주식시장의 평균 수익률을 초과하는 성과를 보여주었다.

하지만 이들 품목은 대부분 현물 거래로 이루어지기 때문에 주식과 같은 유동성이 낮고, 정보 접근성 또한 높은 장벽을 가지고 있어 일반인들이 가치 있는 상품을 거래하기 어려울 수 있다. 실제로 일부 시장 플레이어는 가치가 낮은 상품을 디지털 플랫폼으로 옮겨 비합리적인 가격에 판매하기도 한다. 최근 유행하는 조각투자가 좋은 예시이다. 가치가 없는 상품을 비싸게 속여 투자하라고 일반인들을 꼬드기는 것이다. 필자는 주식 거래를 주요 수익원으로 삼고 있으며, 일정 수익률을 달성하면 평소 관심 있던 예술가들의 작품을 구매한다. 물론 그러기 위해 정기적으로 미술관이나 갤러리의 전시회를 방문하여 안목을 넓히고, 작품의 실제 시장 가격을 확인한다. 이런 습관은 개인의 미적 감각을 키우는 데 도움이 되며, 디지털 시장과는 다른 현물 시장의 특성과 속도를 이해하는 데에도 유익하다. 또한 자산 포트폴리오의 다양성을 증가시키고, 디지털 자산에서는 경험할 수 없는 현물 자산만의 독특한 만족감을 제공한다.

부의 추월차선? 창업 대박? 부업으로 안정적인 파이프라인 구축? 다 좋다. 이 모든 것들은 매력적이다. 그러나 이 모든 것을 이뤄내는 것은 매우 어렵다는 것을 명심해야 한다. 한 사람의 성공 사례에 매료되기 전에, 실패한 수많은 이들이 있다는 사실을 기억하자. 우리가 사회에서 보고 듣는 많은 성공사례는 대부분 레버리지를 사용하는 개인사업인 경우가 많다. 가용할 수 있는 자금 이상을 끌어와 본인의 모든 것을 던져 투자한다는 뜻이다. 시간이나 자본 등, 평소 사용 가능한 자원 이상을 투입하여 경쟁에 임해야 하므로 위험도 크다. 이 책의 독자들 대부분은 평범한 직장인 아닌가? 우리 사회는 실패에 관대하지 않다. 단 한 번의 실패로 심각한 결과를 초래할 수 있다.

반면, 투자는 위험이 상대적으로 적다. 자신이 평소 관심을 가지고 있는 분야에서 투자 아이디어를 얻을 수 있다. 무리해서 일상의 루틴을 바꿀 필요가 없다는 뜻이다. 당신이 관심 있는 대부분의 분야의 사업을 하고 있는 많은 기업들이 주식시장에 상장되어 있다. 관심 있는 기업에 투자하고자 한다면, 퇴근 후 시간을 내어 몇 일간 해당 산업과 기업을 분석하면 된다. 매출, 영업이익, 성장률, 관련 뉴스 및 주가 동향만 봐도 충분하다. 이후 매수 버튼을 누르고 차분히 결과를 지켜보면 된다.

만약 아니다 싶으면 즉시 매수했던 주식을 전량 처분할 수도 있다. 투자를 철회하는 것이다. 자영업자들이 손해를 감수하며 어렵게 폐업을 결정하는 것과 비교하면 주식 매도는 불공평할 정도로 간단하다. 다른 이들의 사업 성공을 보며 부러워한 적이 있는가? 그렇다면 먼저 투자로 수익을 내보자. 사업보다 훨씬 안전한 투자로 수익을 내지 못하면서, 사업에서 성공하길 기대하는 것은 욕심이다. 투자자의 90%는 5년을 버티지 못하고 시장을 떠난다고 하는데, 사업은 오죽할까? 따라서 개미 투자자로서 우리가 투자로 지속적인 수익을 창출하려면, 직장 생활을 하면서도 꾸준히 '투자 근육'을 길러야 한다.

운동을 하지 않던 사람이 갑자기 며칠 헬스장에 다닌다고 근육이 생기지 않는 것처럼 투자도 마찬가지다. 소액이라도 직접 투자해 보고, 부딪혀 봐야 그것을 자신의 경험으로 녹여낼 수 있다. 가치 투자자의 대가로 알려진 워런 버핏 역시 투자 인생동안 자산을 모으기 위해 주식 뿐 아니라 온갖 종류의 현물, 파생상품을 매매하며 자산을 늘려 나갔으며, 자산의 50%를 잃었다가 다음 해에 100%의 수익을 얻은 적이 있음을 기억하자. 필자는 이 책에서 평범한 직장인들이 투자 시장에서 굴하지 않고 장기적으로 버틸 수 있는 전략을 소개한다. 포스트 코로나 시대에 복잡한 금융 환경과 다극화 되어가는 지정학적 갈등 속에서, 대규모 자본을 운용하는 주요 투자자들의 경쟁과 유혹적인 마케팅을 피해 시장의 변동성을 견뎌내고, 궁극적으로 지속 가능한 수익을 창출할 수 있는 투자 능력을 기르는 데 이 책이 도움이 되길 바란다.

제1장 취업, 투자의 시작

1-1. 옛날과 달라진 취업의 의미

경제가 급속도로 성장하던 70-80 년대에 취업은 자신을 회사에 평생 헌신하겠다는 것을 의미했다. 그 대가로 회사는 그에 상응하는 보상을 제공했다. 세계 곳곳에 새로운 기회가 넘쳐났고, 사업은 확장일로에 있었기에 매년 수십 퍼센트씩 성장할 수 있는 시대였다. 그러나 더이상은 아니다. 자신의 직업을 가진다는 것은 분명히 중요하고 의미 있는 일이다. 그러나 남의 밑에서 급여를 받는 것에 익숙해져 퇴직 후의 삶에 대한 계획을 세우지 않으면, 몇 십 년간 벌어들인 급여로 남은 인생을 보내야 할지도 모른다. 노인 빈곤율 40%에 육박하는 한국에서 살아남기 위해서는 연금 이외의 수입이 필요하다.

마침내 취업! 그러나…

당신이 꿈꾸던 직장에 최종 합격했다고 상상해보자. 축하한다, 당신은 모두가 동경하는 회사의 신입사원이 되어 성공적인 삶의 첫발을 내디딘 것이다. 이제 누구를 만나든 '저는 oo 회사에 다녀요'라고 말하여 스스로를 소개할 수 있게 되었다. 사고 싶은 것도 많고, 저축을 위해 적금도 들어야 하고, 부모님 해외여행도 보내 드리고, 당당하게 모임에 나가서 친구들에게 알리고 싶은 마음이 굴뚝같을 것이다. 혼자 산다면 더 넓은 집으로 이사 가고 싶을 것이며, 부모님과 함께 거주하고 있다면 자연스레 독립을 꿈꾸게 된다. 더 이상 대중교통을 이용한 출퇴근을 멈추고 여행을 갈 때도 필요하니, 자동차를 구입하고 싶은 마음도 생길 것이다.

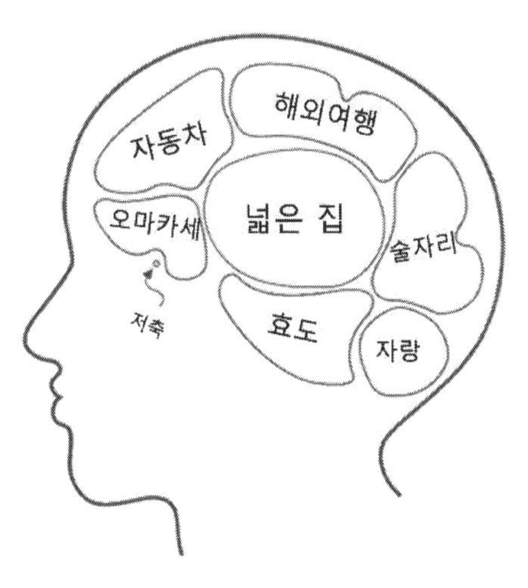

[사회 초년생의 뇌구조]

경쟁이 치열한 대한민국에서 취업은 그 자체로 대단한 성취이며, 억눌려온 만큼 보상을 받고자 하는 것은 자연스러운 심리다. 필자 역시 마찬가지였다. 취업 하자마자 비행기 표를 예매하고 해외여행을 떠났으며, 매 주말 친구들과 만나 술을 마셨다. 평소에는 엄두도 못 내던 와인과 위스키를 구입해보기도 했고, 가족의 기념일에는 먼저 나서서 고급 레스토랑을 예약하기도 했다. 이 모든 것은 노동을 통해 벌어들인 돈으로 구매할 수 있는 것들이다. "월급도 받았는데 조금 더 써도 괜찮지 않을까? 잠시 즐기고 나면 저축하면

돼"라고 생각할 수 있지만, 한 번 늘어난 소비를 줄이는 것은 결코 쉽지 않다. 이러한 경향은 데이터로도 입증되었는데, 경제가 호황기에서 침체기로 넘어갈 때 사람들의 소비 패턴은 일반적으로 경기 사이클의 하향곡선을 뒤따르는 경향이 있다.

필자를 포함한 많은 사회 초년생들은 회사에 들어가면 퇴직할 때까지 그곳에 남을 것으로 생각하지만, 이제 이런 생각은 큰 착각이 되었다. 물론 1980년대 경제 성장률이 세계 평균을 상회했던 대한민국에서는 이러한 생각이 옳았는지도 모른다. 1980년대는 소련의 붕괴와 냉전 종식, 중국의 개방 정책과 함께 글로벌 공급망이 형성되고 평화의 시대와 한국의 성장 사이클이 겹치며, 근면하고 학력 높은 노동력을 보유한 한국은 전 세계에 공산품을 수출하며 눈부신 발전을 이룰 수 있었다. 경제 성장이 가속화되면서 기업들은 지속적으로 새로운 인력을 채용했고, 이에 따라 직원들도 좋은 대우를 받을 수 있었다. 이른바 '586 세대'로 불리는 현재 청년들의 부모 세대는 중산층으로 성장하며 자신의 집을 마련할 수 있었고, 성장하는 기업과 국가를 바라보며 꿈을 키워갈 수 있었다.

1997년 IMF 외환위기로 인해 국가가 큰 위기에 직면했으나, 이 위기를 교훈 삼아 제도를 재정비하고 산업 구조를 개편하여 경제를 다시 부흥시키는 데 성공한다. 그러나 이 시기에 실직자들 중 많은 이들이 재취업에 실패하고 자영업자가 되었는데, 이것이 현재 증가한 자영업자 비율의 주요 원인이 되었다. 이어서 2000년대 중반에는 '차, 화, 정(자동차, 화학, 정유)'으로 대표되는 산업 붐이 한국의 성장을 견인했고, 이로 인해 2010년대 중반까지 한국은 국제 무대에서 크게 주목받는 성취를 이루었다. 겨우 100년 전, 한복을 입고 미국을 방문해 당시 대통령 체스터 A. 아서에게 절을 올리던 조선의 보빙사 시절을 생각해 보면, 한국이 이루어 낸 경제적, 정치적 성과로 세계 무대에서 자리매김 하게 된 것에 대한 자부심을 느끼게 된다.

변곡점에 다다른 한국 경제

여러분도 이미 잘 알고 있는 한국의 경제 성장을 다시 언급하는 것은, 지난 수십 년 동안 우리 사회, 경제, 제도, 문화가 지속적으로 장기 성장을 전제로 설정되어 있음을 강조하기 위해서다. 시간은 우리가 생각하는 것보다는 천천히, 그러나 확실히 흐른다. 우리는 수십 년 동안 부동산 가격이 지속적으로 상승하는 것을 목격했으며, 국민연금은 은퇴 시 낸 금액 이상을 받을 수 있다고 믿어왔다. 결혼은 나이가 차면 당연히 하는 것으로 여겼고, 한두 명의 자녀를 낳은 후에는 자신을 뒤로하고 가족을 위해 헌신하는 것이 일반적이었다. 직장은 성실하게 다니기만 하면, 여러분 앞에 앉아 있는 무능한 상사처럼 해고되지 않고 안정적으로 월급을 받는 것이 당연한 것으로 여겨졌다.

하지만 최근 한국 경제가 중대한 변곡점에 도달했다는 신호가 여러 곳에서 포착되고 있다. 단순한 상승 채널 안에서의 조정을 넘어서 경제의 구조가 근본적으로 변화하기 시작했다. 이에 대한 필자의 근거는 크게 세 가지다.

첫째, 세계의 다극화로 인한 무역 장벽의 부활이 감지되고 있다. 과거에는 캐나다, 미국, 호주, 일본과 같은 미국의 우방 국가들, 중국과 러시아를 중심으로 한 구 공산권 국가들, 유럽연합 등이 시장 경제를 토대로 개방 정책 기조를 유지했지만, 최근 들어 미국의 자국 중심 정책 및 중국과의 대립으로 국제 정세가 복잡해지고 있고, 국가 간의 이해관계에 따른 대립이 빈번하게 발생하고 있다. 미국은 중국과의 경쟁 속에서 동맹국에 위탁했던 반도체와 같은 전략적 핵심 제품의 국내 생산을 증대시키려 하고 있다. 이는 한국의 산업 생산력에 영향을 미칠 수 있다. 이미 삼성과 SK와 같은 대기업들이 미국 내 생산 시설 건설을 계획 중이다. 최근 원자재 가격 상승과 달러 기축통화에 반대하는 원자재 수출국들의 탈 달러화 움직임도 원자재를 수입해 가공하는 한국에 불리하다. 한국의 GDP는 큰 부분이 해외 수출에 의존하고 있으며, 이러한 반-글로벌화 추세는 한국에게 있어 큰 도전이다. 코로나 이후 최근 몇 분기 동안 무역 적자가 지속되고 있으며, 특히 대중국 무역 적자가 심각하다. 이 문제는 단기간 내에 해결되기 어려울 것으로 보인다.

두 번째 요인은 인구 고령화와 중국의 경제적 추격으로 인한 국가 경쟁력 저하다. 출산율 저하 문제는 이미 널리 알려져 있으나, 그 해결책에 대해서는 명확한 대안이 없다는 것이 전문가들의 일반적인 견해다. 개인적으로, 인구 고령화 문제는 시간이 지나면서 자연스럽게 해결될 것으로 보이지만, 이 과정에서 부의 양극화와 사회적 갈등은 불가피하다. 인구 감소는 GDP 감소 뿐만 아니라 국가의 전반적인 활력 저하로 이어진다. 이러한 상황에서 사회는 진취적이기보다 보수적인 성향을 띠게 될 가능성이 크고, 제조업 중심에서 서비스업이나 고부가가치 산업으로 전환 중인 한국은 성장 둔화나 심지어 역성장에 직면할 수 있다. 일단 꺾인 성장세는 회복하기 어려운데, 인접한 일본의 예를 보면 이를 명확히 알 수 있다. 또 다른 중요한 변수는 바로 중국의 경제 상황이다. 중국은 한국과 유사한 경제 모델로 그동안 성장해 왔고, 최근 경기침체 및 부동산 부채 문제를 겪고 있지만 상황은 상대적으로 나은 편이다. 중국의 출산율은 한국에 비해 여전히 높고, 거대한 내수 시장 덕분에 기업들이 규모의 경제를 실현하고 있으며, 일부 첨단 산업 분야에서는 한국을 능가하거나 비슷한 수준에 도달해 있다. 코로나 이후 경제적 어려움에도 불구하고, 중국은 디레버리징(De-leveraging)을 통해 부실기업을 제거하고 부동산 부채 버블을 축소하는 등의 조치를 취하고 있다. 대형 부동산 회사인 헝다의 파산과 벽계원의 구조조정이 그 예로, 중국의 부동산 기업 부채 정리는 과정은 현재 진행형이다. 중국은 이미 금리를 상당히 인상한 상태이며, 2023 년 현재 전 세계가 인플레이션에 시달리는 반면, 중국은 물가 상승이 제한적이어서 다양한 경제 부양책을 시행하고 있다. 이에 따라 향후 몇 년간 점진적인 경제 회복이 예상된다. 반면 한국은 긴축 하지 않고, 미국보다 기준금리가 여전히 2% 가까이 차이나는 상태에서 미국이 금리 인하하기만을 기다리고 있는 상황이다. 최근 한국에서 가장 인기 있는 쇼핑 앱 중 하나로 알리바바의 '알리 익스프레스'가 랭크되었는데, 이는 프리미엄 제품을 제외한 중저가 제품 시장이 중국 기업에 의해 잠식되고 있음을 의미한다. 실제로 많은 한국 온라인 쇼핑몰 판매자들이 중국에서 상품을 수입하여 재판매하는 것이 일반적인 관행이었으며, 이들은 곧 새로운 사업 모델을 모색해야 할 것이다. 한국에 Made in China 가 아닌 제품들이 과연 얼마나 될까?

셋째 문제는 높은 금리 환경이다. 지난 20 년간 저금리 시대에 익숙해진 세계 경제는 최근 1 년간 미국 연방준비제도(Fed)의 금리 인상으로 변화를 맞이했다. 2022 년 3 월부터 약 1 년 반

동안 525bp(기준점, 5.25%) 인상이라는 대대적인 정책 변경을 통해 인플레이션을 억제하려 했다. 기준금리가 5%라는 이야기는 은행 예금으로부터 5%의 무위험 수익을 기대할 수 있다는 의미이며, 이에 따라 투자 자산으로부터 기대되는 수익률도 상승해야 한다. 간단히 말해, 5%의 금리로 은행에서 1 억원을 대출받았다면, 이를 상회하는 최소 5%의 순이익을 창출해야 본전이다. 이러한 금리 상승은 시중 유동성을 감소시키고 기업에 수익률 상승 압박을 가하게 된다. 가계 부채율이 높음에도 불구하고 한국은 금리 인상에 따라 은행들에 대출금리 인하 압력을 가하고 있으며, 이는 미국 연준의 금리 인하를 기다리는 상황이 이어진다. 그러나 섣불리 금리인하를 했다가는 많은 외화 유출을 감수해야 할 것이고, 금리를 더 인상하자니 막대한 부채가 문제가 된다. 시간이 지남에 따라 높은 금리 부담은 채무자에게 점점 더 큰 부담을 주게 될 것이다. 최근 부동산 시장 붕괴를 막기 위해 한국 정부는 다양한 대출 지원 정책을 내놓고 있는데, 그중에는 50 년 만기의 주택담보대출도 있다. 이 대출을 받은 사람들은 부동산 가격이 하락할 경우, 만기까지 원금과 함께 이자를 갚아야 하며,

총지불액이 원금을 초과할 가능성이 크다는 뜻이다. 이는 매수자가 평생 빚을 지고 살아가야 할 수도 있다는 의미이며, 만약 현재의 높은 금리 환경이 지속된다면 한국의 경제 전망은 더욱 어두워질 가능성이 높다.

사라져가는 직업들

기업이 당신을 고용하는 것은 장기적 발전 가능성과 지속 가능한 수익 창출 능력을 가진 인재에 대한 투자로 볼 수 있다. 이는 여러분이 투자 대상이며, 당신이 가진 능력을 활용하는 대가로 급여(이자)를 지급하는 것은 은행이 자신이 대여한 자산(여러분의 시간)에 대한 이자를 지급하는 것이라고 생각하면 이해하기 쉽다. 열심히 일하여 성과를 낸다면 추가 보너스(인센티브)를 받을 수 있고, 반면 성장이 정체되어 회사에 기여하지 못한다면 해고(매도)될 수도 있다. 극단적인 예로, 코로나 시대에 투자를 많이 받은 유니콘 기업에서도 최근 많은 직원들이 해고당하고 있다. 특히 노조가 없는 기업에서는 해고가 비교적 쉬운 편이며, 더욱이 직원은 자신의 성과와 무관하게 회사의 경영 상황 악화로 인해 직업을 잃을 수 있다. 회사가 경제적 어려움을 겪을 때 첫 번째로 취하는 조치는 인력 감축이며, 이는 빠른 재무 개선 효과를 낼 수 있다. 실제로 많은 기업이 실적 악화 후 인력을 감축하고 나면 다음 분기의 실적이 개선되고 주가가 반등하는 사례를 볼 수 있다. 그러나 흥미롭게도 경영진은 실적 개선에 대한 공로를 인정받아 더 많은 보수를 받아 가기도 한다.

혹은 기술이 발전하여 당신을 대체하게 될 수도 있다. 어느 날 갑자기 로봇이 사무실의 당신 의자를 빼앗아 앉는 식의 드라마틱한 변화는 아니겠지만, 시간과 마찬가지로 천천히 하지만 확실하게 당신의 업무를 빼앗아 나갈 것이다. 필자 주변만 해도 기술의 빠른 변화에 대응하지 못하고 있는 지인들의 소식이 종종 들려오고 있다. 대형 게임 스튜디오에서 3D 모델링 업무를 맡고 있는 디자이너 지인 A는 약 1년 전 놀라운 발전을 거듭하고 있는 DAL-E와 같은 생성형 ai가 출시되었다는 소식을 접했다. 이전에도 이미지를 자동으로 만들어주는 프로그램은 이미 많이 있었기 때문에 처음에는 대수롭지 않게 넘겼다고 한다. 그런데 어느 날 업계인들이 모인

오픈 채팅방에서 공유된 이미지를 보고 깜짝 놀랐다. 메인이 되는 사람이나 물체까진 아니더라도, 본인이 작업시간 중 많은 부분을 차지하는 디테일한 오브젝트, 질감, 구도를 이질감 없이 텍스트 몇 마디로 만들어내는 것이 아닌가? 이걸 본 A는 업무에 도움이 되겠다는 생각과 동시에 불안함을 느꼈다고 한다. 언젠가는 본인만이 할 수 있는 업무까지도 생성형 ai가 대체하게 되지 않을까 하는. 생성형 ai는 출시 이후로 계속 진화하여 정말 많은 부분의 디자이너 업무를 대체할 수 있게 되었고, A는 그 해 연봉협상에서 팀 내 TO가 한 자리 줄었다는 내용과 함께 "좋은 툴이 많이 나왔으니 적극 사용하여 더욱 업무 성과를 높여보자"는 팀장의 독려를 들었다고 한다. 사내에서는 독려로 끝났지만, 실제 프리랜서들은 그 파급 효과를 정면으로 마주하고 있다. 외주 전문 사이트에서 원화가들의 일러스트 단가가 50% 넘게 떨어져 난리가 났다는 얘기가 인터넷에서 화제가 되었는데, 자신의 이름이 곧 브랜드인 유명 원화가들만 간신히 기존 수입을 지킬 수 있었다고 한다. 웃기는 것은 그 유명 원화가들조차 자신의 작업에 생성형 ai를 적극 사용했다가 욕을 먹었다고 하니 참 아이러니한 일이다.

비단 최근 이슈가 되고 있는 ai뿐만이 아니다. 불편하다고 원성이 자자했던 키오스크도 어쨌든 높아진 인건비를 대체할 수 있다보니 점점 더 많은 가게에 도입되고 있으며, 서비스 센터의 CS 업무 대응은 이미 많은 부분이 자동 응답 시스템으로 대체되었다. 그렇게 기계로 대체된 인력들은 직장을 잃게 되지만, 우리 사회는 그런 사람들에게 별다른 관심을 주지 않는다. 유럽의 전기차 대체 전환율이 미국이나 한국, 중국 같은 나라보다 더딘 이유 중 하나로 국가의 노동자 보호 정책, 규제를 꼽는다. 전통적인 내연기관 차량과 다르게 전기차는 제조 공정이 훨씬 심플하고 자동화 하기 쉬워, 수 많은 노동자가 단기간에 일자리를 잃게 될 것이라는 것이 규제의 이유라고 한다. 그러나 산업화 시대에 기계를 배척했던 노동자들의 노력이 시대에 뒤떨어진 안타까운 몸부림으로 평가받는 것을 생각하면, 수십년간 한 직무에 종사하는 것이 얼마나 큰 리스크를 지는 것인지 알 수 있다.

적응과 진화의 시대

AI 기술의 발전으로 인한 인력 감축과 같은 예시는 최근에만 국한되어 벌어지는 일이 아니다. 사용자들의 불편함에도 불구하고, 인건비 상승에 대한 대안으로 키오스크 도입이 증가하고 있다. 또한, 많은 고객 서비스 센터의 업무가 이미 자동 응답 시스템으로 대체되었습니다. 이러한 자동화로 인해 일자리를 잃는 사람들이 증가하고 있음에도 불구하고 우리 사회는 이들에게 충분한 주의를 기울이지 않고 있다.

전문가들은 유럽의 전기차 도입 속도가 미국이나 한국, 중국 등 다른 국가들보다 느린 이유 중 하나로는 강력한 노동자 보호 정책과 규제를 꼽는다. 전기차는 내연기관 차량에 비해 제조 과정이 간단하고 자동화하기 쉬워 많은 관련 산업 종사자들이 일자리를 잃을 수 있기 때문이다. 하지만 산업화 시대에 기계화에 반대했던 노동자들의 투쟁이 시대착오적인 것으로 평가되는 것을 볼 때, 우리도 언젠가 시대에 도태될 위험에 처해있다고 말할 수 있겠다. 언젠가 침대를 구매할 일이 생겨

가구 단지에 방문한 적이 있는데, 대기업에서 운영하는 C 브랜드의 매장은 쾌적한 인테리어와 최신 가구, 그리고 친절한 직원이 필자를 맞이해 주었으나, 개인이 운영하는 매장은 후줄근하고 철지난 제품들이 전부였다. 매장에 상주하는 직원도 여러 업무로 바빠 보여 제대로 된 응대를 받지 못했다. 아무래도 개인 매장은 프랜차이즈에 비하면 부족한 부분이 있을 수 밖에 없다고 이해했지만, 결국 가구는 C 매장에서 구매했다. 퇴직하고 개인이 차린 많은 가게들은 시대의 변화와 유행을 따라가지 못한다. 몇 년만 지나도 제품의 디자인, 실내 인테리어 등이 금세 촌스러워지지만 그러한 트렌드를 쫓을만 한 경제적, 정신적 여유가 개인에게는 부족한 것이다. 반면, 대기업에서 운영하는 프랜차이즈 매장은 수십명의 디자이너와 컨설턴트가 밤낮으로 연구한 결과물의 집합체이다. 어지간한 개인은 상대가 되지 않는 것이 당연하다. 가구 매장을 예시로 들었지만 다른 분야도 마찬가지다. 회사라는 울타리를 벗어난 개인은 사회에서 살아남기 위해 치열한 삶을 살아야 한다.

경력이 쌓이고 사회생활에 익숙해지면서 직장이 삶의 전부가 아니라는 것을 깨닫게 된다. 삶의 단계를 거쳐 올라감에 따라 사회적 책임도 함께 증가한다. 새로운 관계를 맺어감에 따라 여러 경제적, 사회적 부담이 생기고, 불가피한 지출이 늘어나게 된다. 당신이 연애 중이라면 결혼에 대한 진지한 고민도 시작될 것이다. 혼자 사는 것도 선택지 중 하나지만, 우리 사회는 아직 혼자 사는 성인에게 제도적이거나 문화적으로 관대하지 않다. 30대를 지나 40대에 접어들면, 직무적으로 전성기에 도달하지만, 책임감과 부담감도 커지며, 부양할 가족이 있다면 변화를 시도하기 어려워진다. 최근에는 100세 시대로, 인생에서 여러 경력을 가질 수 있다는 이모작, 삼모작의 개념이 퍼지고 있다. 이는 당신의 경력이 하나의 직장에 국한되지 않으며, 다양한 역할을 수행할 수 있다는 것을 의미한다. 예를 들어, N 기업에서 디자이너로 근무하고 있다면, 당신의 직업 정체성은 회사원이 아닌 '디자이너'임을 기억해야 한다. 회사를 떠나더라도 디자이너로서 정체성은 유지한다면 이를 바탕으로 창업, 이직, 프리랜서 활동 등 다양한 길을 모색할 수 있을 것이다.

빨라지는 은퇴연령

만약 본인의 직무가 소규모 비즈니스에서 활용하기 어려운 분야라면 충분한 자산을 미리 모아두는 것이 필요하다. 뉴스에서 은행 근로자들의 퇴직금이 억대에 육박한다는 내용을 자주 볼 수 있는데, 이는 이직이 힘들고 장기 근속하는 경향이 있기 때문이다. 이는 퇴직금을 활용하여 남은 노년을 계획해야 함을 의미한다. 이전 세대는 오랜 기간 회사에서 근무했지만, 현재 젊은 세대에게는 이 마저도 어렵다. 금융 부문은 디지털화 이후 꾸준히 인력 채용을 축소하고 있으며, 장기 근무자들에게 희망퇴직을 제안하고 있다. 최근 삼성과 같은 대기업에서 40대의 임원이 등장하는 추세이다. 기업이 젊어 진다고 좋아하지 마시라. 이는 젊은 인재 우대하기 보다는 퇴직 연령대가 더 빨라지는 것이라고 보는 것이 맞다.

40대에 임원으로 승진할 역량이 되지 않는다면, 이는 기업에서의 자리를 떠나야 한다는 암묵적인 신호인 것이다. 우리는 선배 세대처럼 장기간 동일한 회사에 근무하는 것을 기대해서는 안 되며, 오랜 근속 기간 동안 받게 되는 퇴직금 만큼의 역량 개발이나 자산 축적이 필요하다. 이전 세대는 충성심과 근면을 통해 보상을 받았지만, 이제는 경제 성장기의 평생 직장이라는 개념이 사라진 시대에 살고 있으며, 우리는 몇십 년 후의 미래를 스스로 준비해야 한다. 이 변화는 특정 개인의 잘못이 아니라, 한국 경제의 확장에서 긴축으로의 전환에 기인한다. 긴축 경제가 도래하면서 국가와 기업 모두 비용 절감에 주력하게 되고, 이는 사회 인프라와 복지 서비스의 축소로 이어진다.

자신만의 강점이나 축적된 자본이 없다면, 빚을 지거나 위험한 투자를 해야만 과거 직장인으로서의 생활 수준을 유지할 수 있을 것이다. 최근 몇 년간 'Fire 족'(Financial Independence, Retire Early) 열풍이 인기를 끌었지만(이 열풍도 최근 수그러드는 추세긴 하다), 많은 인플루언서들이 나서 경제적 자유 달성을 강조하며 "자신만의 수입원을 창출하라"고 주장하지만, 이는 결코 간단한 일이 아니다. 이러한 주장에 매료되어 알지 못하는 분야에 성급하게 뛰어들었다가 실패하는 경우가 흔하다.

회사를 떠나 독립적으로 수입을 창출하려면 어떤 옵션이 있을까? 가게를 개업하려면 임대료와 인테리어 비용이 필요하고, 화물차나 택시 운전 같은 직업을 시작하려면 상당한 초기 투자가 필요하다. 충분한 자본이 없다면 어떻게 해야 할까? 은행 대출이 해결책이 될 수 있다. 하지만 이자 지급과 원금 상환에 주의해야 한다. 유튜버가 되어 수익을 창출하는 것은 어떨까? 이를 위해서는 촬영 장비와 편집 비용이 필요하며, 이는 쉽지 않은 과정이다. 영상이 유튜브에서 주목받을 것이라는 보장은 없으며, 성공하는 이들은 드물다. 최근에는 '빠니보틀', '곽튜브' 같은 여행 유튜버 몇몇의 성공을 보고 많은 이들이 따라 뛰어들었지만, 대부분 실패한 후 다시 직장 생활로 돌아갔다.

상황이 어려워지면서, 중고거래 시장에 거의 새 것 같은 촬영 장비들이 빈번하게 매물로 나타나고 있다는 뉴스 기사를 접하게 된가 . N 사의 스토어 플랫폼을 이용한 구매대행이 비용이 들지 않는 것처럼 보일 수 있지만, 실제로는 상당한 시간과 노력이 필요하다. 단순히 도메인을 생성하고 상품을 업로드하는 것만으로는 충분하지 않다. 지속적으로 변화하는 검색 알고리즘을 이해하고, 검색 최적화를 적용해야 하며, 각 상품에 대한 상세한 설명 페이지를 제작해야 한다. 또한 판매 및 사용자 데이터 분석, 포장, 배송, 고객 서비스 등 모든 과정을 직접 관리해야 한다. 짧게는 몇 달, 길게는 몇 년 동안 안정적인 수입을 보장받지 못할 수 있으며, 심지어 아무런 수익도 얻지 못하고 사업을 접을 위험도 있다. 이 모든 과정에서 투자된 시간과 노력에 대한 보상은 불투명하다.

회사를 떠난 후 많은 사람들이 시도하는 사업이 실패하는 주된 이유 중 하나는 필요한 자본이 부족한 것뿐만 아니라, 자신의 진정한 장점과 능력을 명확히 인식하지 못하기 때문이다. 자신의 강점을 모르는 상태에서 유튜브 채널을 개설하거나, 블로그를 운영하거나, 온라인 스토어를 운영하면 성공하기 어렵다. 이러한 활동들은 단지 자신의 조급함을 노출시키는 도구에 불과해서, 핵심적인 내용 없이 겉모습만을 고려하는 것과 같다. 그렇기 때문에 직장 생활 중에 자신만의 장점이 무엇인지, 진정으로 좋아하는 일이 무엇인지를 지속적으로 탐색하는 것이 중요하다. 만약 내향적이고 신중한 성향을 가지고 있으며 위험을 기피하는 성격인데, 주변 사람들이 모두 하고 있다는 이유로 여행 관련 유튜브 채널을 시작한다면 성공하기 어려울 것이다.

주식 투자는 다양한 부업 중 하나일 뿐이다. 그러나 필자가 주식 투자를 추천하는 이유는, 이 분야가 다른 선택지보다 역사가 오래되었고, 일정 수준의 이론과 공식이 확립되어 있어, 투자한 시간 대비 우수한 수익을 얻을 가능성이 높기 때문이다. 또한 주식 시장은 규모가 크고, 투자를 돕는 다양한 기술과 제도가 잘 발달되어 있어, 새로운 투자자들의 접근 장벽이 상대적으로 낮다. 입사한 회사에서 중요한 지분이나 스톡옵션을 보유하고 있지 않다면, 성장이 정체된 대한민국의 현실과 점차 사라지는 평생 직장 개념을 고려할 때, 회사가 당신의 미래를 보장하지 않는다는 점을 항상 명심해야 한다.

복잡하고 위험해 보이는가? 이러한 방법을 듣고 어떤 이들은 단순히 매달 월급의 일정 부분을 저축하는 것이 나을지 의문을 제기할지도 모른다. 실제로, 이 방법은 가장 안정적인 자산 축적 전략이다. 하지만 시간이 지남에 따라 저축된 금액의 실질 가치가 감소한다면 어떨까? 브레튼 우즈 체제가 1971 년에 붕괴된 후, 미국 달러는 기축통화로 자리잡았고, 끊임없이 발행되어 전 세계에 유통되었다. 화폐의 지속적인 발행은 자산 가치를 자연스럽게 상승시키는 경향이 있다(실제로는 화폐 가치의 하락에 가깝다).

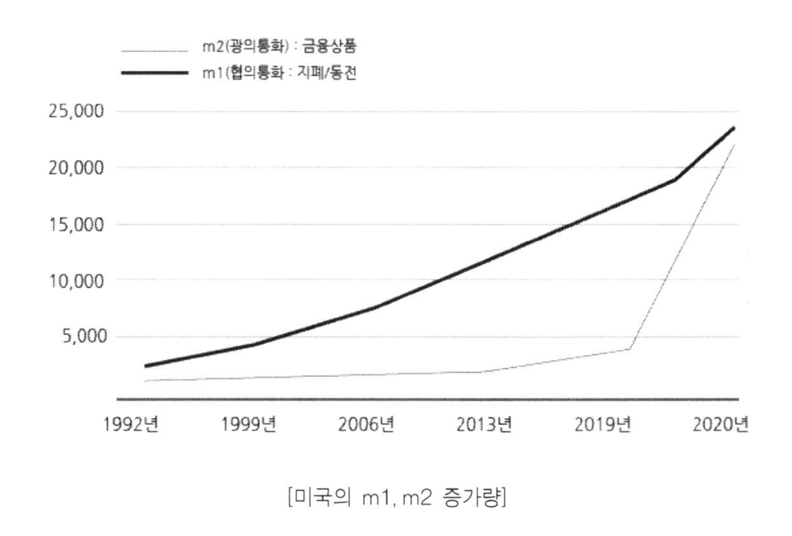

[미국의 m1, m2 증가량]

미국 연방준비제도(Fed, 연준)의 통화정책이 완화와 긴축 사이클을 따르긴 하지만, 화폐 공급의 총량은 지속적으로 증가하고 있다. 이는 현금 가치의 하락과 동시에 상품 가격의 상승을 의미한다. 경쟁력 있는 브랜드는 이러한 물가 상승분을 상품 가격에 반영하며, 이 비용은 대부분 소비자에게 전가된다. 특히, 명품과 같이 공급자가 우위를 차지하는 시장에서는 1년 내에 가격이 최대 30%까지 상승하기도 한다. 또한, 애플과 구글과 같은 글로벌 기술 대기업들은 독점적 위치를 이용해 가격을 인상하며, 소비자는 이러한 가격 인상을 감당해야만 한다. 그러나 월급의 증가율은 상품 가격 상승률을 따라잡지 못한다. 2004년, 5~9인 규모의 소기업 직원의 월급은 2019년까지 15년 동안 약 70% 증가했다(170만원에서 280만원으로). 이는 연평균 3% 증가한 것이지만, 같은 기간 평균 물가 상승률이 3%를 초과했으므로, 실질적인 임금 상승률은 사실상 마이너스가 된다. 반면, 필자가 거주하는 지역의 구축 아파트 가격은 2004년 5억원에서 2019년 18억원으로 급등했다. 이는 다소 극단적인 예일 수 있지만, 정부가 모니터링하는 필수 소비재를 제외하고는 대부분의 소비재 가격이 월급 상승률을 훨씬 넘어선다. 만약 여전히 옛날 가격을 유지하는 상품이 있다면, 그것은 이익 창출이 주 목적이 아니거나, 누군가가 손실을 감수하고 있는 것을 의미한다.

자본주의 체제 하의 한국에서 우리는 가지고 있는 자산의 가치를 유지하기 위해 투자를 고려해야 한다. 만약 당신이 현재 직장을 그만두고 창업을 계획하지 않는다면, 투자는 필수적이다. '투자'라는 개념이 낯설고 복잡해 보일 수 있지만, 간단히 말해 현재 보유한 화폐를 다른 자산 형태로 전환하는 것이다. 이렇게 하면 노동을 통해 얻은 수입(월급)의 가치 하락을 최소화할 수 있다. 단순히 저축만으로는 투자 방법을 모르는 상태에서 돈을 사용하게 될 위험이 있다. 퇴직금을 사기에 휘말려 잃은 사례를 들어본 적이 있는가? 투자에 대해 전혀 모르는 상태에서 절약하여 퇴직하는 경우, 당신의 돈을 노리는 사기꾼들의 좋은 표적이 된다. 이러한 일을 막기 위해서라도, 직장 생활을 하면서 점진적으로 투자에 대한 이해를 높이는 것은 중요하다. 느려도, 소액이어도, 손해를 봐도 괜찮다. 어떤 성과도 하루아침에 이루어지지 않는다는 것을 기억하자.

맨땅에 헤딩하는 개미 투자자들

사실 직장인이 투자에 시간을 할애하기란 쉽지 않은 일이다. 필자 역시 주식 투자에 대한 심리적 장벽 때문에 코로나 팬데믹 초기 급락 후에 찾아온 V자 반등 시기에 투자하지 않아 큰 수익을 얻을 기회를 놓쳤다. 이는 투자에 대한 막연한 두려움 때문이었다. 대한민국에서는 학창 시절을 입시에만 집중하며 보내고, 대학에서는 취업 준비에 매진하다 보니, 경제적 독립에 필요한 금융 지식을 배우지 못하는 경우가 많다. 신입사원으로 입사한 후 1-2 년간은 새로운 업무에 적응하는 데 집중하게 되며, 이는 투자에 필요한 시간을 내기 어렵게 만든다. 투자에 관한 정규 교육 과정이 부재하고, 취업 준비처럼 별도로 시간을 내어 집중적으로 공부하라는 압박도 없다. 국가 차원에서도, 모든 시민이 노동 대신 금융 지식을 학습하는 것은 실물경제 생산성에 영향을 미칠 수 있으므로, 금융 지식 보다는 생산적인 역량 개발에 중점을 두는 교육 체제를 유지한다.

한국에서 많은 사람들은 자신의 가치를 높이는 것을 인생의 중요한 목표로 여긴다. 학창 시절 대부분을 좋은 대학 입학을 위한 입시 준비에 바치고, 대학에서는 뛰어난 기업에 취업하기 위해 전력을 다한다. 그 이후에는, YOLO 족(즉, 현재를 즐기며 살아가는 사람들)이 아니라면, 대부분은 급여의 일정 부분을 저축하기 시작한다. 저축액은 서서히 증가하여 수천만 원, 심지어 1 억 원 이상이 될 수 있다. 하지만, 학교 교육 과정에서는 이러한 예금을 어떻게 활용하고 성장시킬지에 대한 교육은 거의 이루어지지 않는다. 사회에 잘 적응하고 기업에서 필요로 하는 기술을 갖춘 인재가 되는 방법에 대해서는 가르치지만, 저축된 자금을 어떻게 투자하고, 어떤 대출을 받아 어떤 투자 상품에 투자해야 하는지에 대한 지식은 제공하지 않는다. 그러다 보니 한국의 젊은 세대는 수십 년 동안 열심히 저축하고, 결혼 시기에 대출을 최대한 활용해 아파트를 구매하는 것이 최선의 투자 전략이라고 배웠다. 이 방법은 안정적인 주거 환경을 제공할 뿐만 아니라, 레버리지를 통해 큰 수익을 얻을 수 있는 방법이었다. 하지만 최근 십 년간 부동산 가격 상승률이 노동 소득 상승률을 크게 초과하면서, 코로나 시대에는 더욱 심화되어 일반 직장인이 수도권 아파트를 구매하기 위해서는 수십 년간 저축만으로는 부족하게 되었다. 이제는 단순한 저축 이상의 자산 증식 전략이 필요하게 되었으며, 특히 부동산 구매 전 투자 단계가 필수적으로 요구된다.

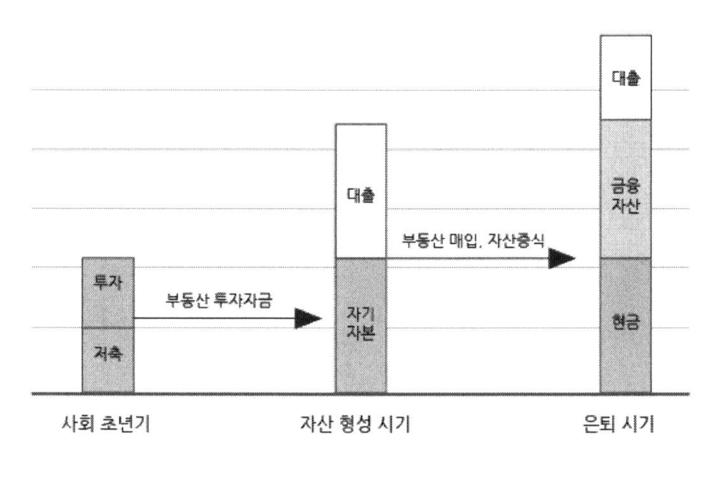

[한국인의 부의 사다리]

결과적으로, 직장인들은 전문적인 지식 없이도 적극적인 투자를 감행해야 하는 상황에 직면하게 되었다.

이러한 상황에 대한 이해 없이 국내 주식 시장에 뛰어들어 손실을 입은 개인 투자자들을 비웃는 것은 부당하다. 이들은 이미 부동산을 매입한 사람들에 대한 상대적 박탈감과 놓친 기회를 만회하려는 절박한 마음이 들 수밖에 없었다. 특히, 주변 사람들이 주식 투자로 상당한 수익을 거두었다는 이야기를 들으면 더욱 그러하다. 그 결과 많은 사람들이 증권 앱을 설치하고, 카카오, 네이버, 현대차, 삼성전자와 같이 익숙한 기업들의 주식을 매수하기 시작한다. 이러한 행동이 감정적으로 이해는 된다. 실제로 이익이 되었는지는 별개의 이야기지만. 전 세계적으로 다양한 투자 선택지가 있는 가운데 '한국의 반도체/IT 섹터 주식을 매수'하는 것은 매우 중요한 선택이지만, 이를 충분히 인식하지 못한 개인 투자자들이 많았다. 이는 투자에 대한 충분한 습관과 지식이 부족한 결과로 볼 수 있다.

투자는 ASAP(가능한 한 빨리)

투자에 관심이 없는 직장인들 중 다수는 첫 월급을 받은 후, 적금 계좌를 개설하거나 다양한 펀드나 연금저축계좌에 자동납입을 설정한다. 이들은 대개 영업사원의 간략한 설명을 듣고 가입하며, 이후 크게 관심을 두지 않는 경우가 많다. 그러나 이런 무계획적이고 검증되지 않은 투자 방식은 투자 능력을 키우는 데 전혀 도움이 되지 않으며, 오히려 손실을 초래할 수 있다. 예를 들어, 중국 투자 펀드는 한때 고객들에게 상당한 수익을 안겨주었지만, 불과 2년 만에(2023년 기준) 수익률이 크게 하락하여 원금조차 유지하지 못하는 경우가 발생했다. 이런 손실을 입었음에도 불구하고, 많은 투자자들은 '경제가 나빠서 어쩔 수 없어', '시간이 지나면 회복될 것'이라는 수동적인 태도로 자신의 손실을 합리화하며 일상을 이어간다.

화나지 않은가? 매력적인 수익률과 안정성을 보장한다고 영업사원이 자신 있게 말했음에도 불구하고, 현실은 냉혹했다. 안타깝게도, 때로는 판매해서는 안 되는 위험한 투자 상품들이 '안전한' 것처럼 판매되기도 한다. 최근에는 홍콩 지수와 연계된 홍콩 ELS라는 리스크가 높은 파생상품이 안전하다는 식으로 팔려, 장기간의 손실로 많은 투자자들이 원금을 잃을 위기에 처했다는 보도가 있었다. 이것은 사실상 해외 선물거래와 같은 리스크를 고객에게 전가한 것에 가깝다. 손실 금액은 무려 8조원에 달한다고 한다. 더욱이, 증권사는 이러한 상품의 판매량에 따라 직원들에게 보너스 점수를 부여했다고 한다. 이는 금융 전문가가 아닌 증권사 직원들이 잘 이해하지 못하는 상품을 일반 소비자들에게 부적절하게 판매한 사례로 볼 수 있다.

비현실적으로 들릴 수 있지만, 금융 뉴스를 자세히 살펴보면 이러한 만화 같은 사기 사건들을 꾸준히 발견할 수 있다. 이러한 경우가 사기로 분류되지 않는 이유는 적법한 절차를 통해 상품이 설명되고 고객의 동의를 받았기 때문이다. 이런 위험을 미리 방지하기 위해서는 직접 투자하며 실전 경험을 쌓는 것이 중요하다. 자산 배분과 리스크 관리를 직접 경험하고 시장이 어떻게 작동하는지 이해하면, 이러한 위험에 노출될 확률을 크게 줄일 수 있다.

직장인이 직접 세부적인 투자 포트폴리오를 구성하고 매일 시장 동향을 분석하며, 각 종목의 수급 상황을 파악하여 좋은 투자 섹터를 찾아내는 것은 매우 까다로운 일이다. 하지만 대형 우량주를 단순히 매수하고 장기간 보유하는 것이 안전하다고 생각한다면, 그것 역시 잘못된 접근이다. 단순히 주식 시장이 장기적으로 상승한다는 가정 하에 적당히 괜찮아 보이는 종목을 생각 없이 매수하는 것은, 적절한 투자 분산과 타이밍을 통해 얻을 수 있는 잠재적 수익과 경험을 소홀히 하는 것이다. 아래에서는 직장인 투자자로서 습득할 수 있는 현실적이고 간단한 투자 개념을 소개할 것이다. 물론 이러한 방법을 알고 있다고 해서 항상 수익을 보장받는 것은 아니다. 20-30년 간 경험해보지 못한 새로운 분야에서 지식과 경험을 쌓는 것은 결코 쉽지 않다.

'인풋 없이는 아웃풋도 없다'는 말처럼, 직접 투자를 경험하고 그 결과를 겸허히 받아들여 피드백을 통해 개선하는 것이 중요하다. 일부는 '이 정도 돈으로 수익을 얻어 봤자 얼마나 될까? 나는 좀 더 모으고 나서 투자할 거야'라고 말하는데, 이는 잘못된 생각이다. 자신의 돈을 투자하게 되면, 그 액수와 관계없이 시장에 대한 관심이 몇 배로 증가한다. 큰 금액을 모아두고 투자를 시작할 경우, 손실이 발생했을 멘탈 관리에 어려움을 겪게 되는데 이는 더 큰 손실로 이어질 수 있다. 초기 투자금을 학습비로 생각하고 조심스럽게 시작한다면, 큰 손실을 경험한 후 주식 시장을 탓하며("역시 주식은 하면 안 되는 거였어!") 투자를 포기하는 일은 피할 수 있을 것이다.

1-2. 직장인의 투자법

월급으로 시작하라

투자의 시작은 월급으로 하는 것이 좋다. 직장인은 월급을 받기 시작하는 순간부터 투자를 고려해야 한다. 이 책에서는 이미 사회생활 초기에 투자의 중요성을 강조했기 때문에, 단순 저축에 대한 논의는 하지 않을 것이다. 물론 운용 자금이 증가하여 자산을 다양화해야 할 필요가 있거나, 일정 기간 동안 현금을 보유해야 하는 경우에는 예금 통장을 사용할 수 있다. 그럼에도 불구하고, 최근의 고금리 환경에서는 만기가 임박한 채권을 구매하거나, 매월 배당을 지급하는 미국 단기채 ETF와 같은 금융 상품을 매수하는 것이 더 바람직하다. 이와 관련된 내용은 추후에 더 자세히 다루도록 하겠다.

'쓰고 남은 돈으로 투자하는 것은 어떤가요?'라고 묻는 사람들이 많은데 이는 '돈을 마음껏 쓰고 싶어요'라는 의미와 같다. 욕심은 끝이 없기 때문에, 지출이 증가하면 더 많은 지출을 원하는 경향이 있다. 따라서 투자를 위해 미리 금액을 설정하지 않으면, 월급만으로는 의미 있는 수익을 내기 어렵다.

투자 금액 설정에 관한 팁으로, 사회 초년생 시기에는 절대금액으로 설정하고, 경력이 쌓이고 월급이 증가하기 때문에 투자 금액을 비율(퍼센트)로 설정하는 것이 좋다. 급여가 증가함에 따라 투자할 수 있는 여유 자금도 늘어난다. 예를 들어, 월급이 200 만원일 때 100 만원을 투자하는 것으로 정하고, 이후부터는 월급의 50%를 투자하는 방식이다. 이 방법을 사용하면 연차에 따라 투자 금액을 꾸준히 증가시킬 수 있다. 절대값으로 투자 금액을 설정하면, 매년 증액하는 것이 번거로울 뿐더러, 월급은 늘어나는데 투자 금액은 그대로인 경우가 많다. 월급 뿐만 아니라 연말 상여금이나 기타 일회성 수익도 동일한 비율로 투자한다면, 자본을 더 빠르게 늘릴 수 있다.

주변에서는 '충분한 자본을 모은 후에 투자를 시작하라'는 조언을 들을 수 있다. 이런 말을 하는 이유는 자본이 적을 때 투자하면 투입한 노력 대비 얻을 수 있는 수익이 적기 때문이다. 하지만 투자 초보자가 큰 금액으로 투자를 시작하는 것 만큼이나 위험한 일도 없다. 이는 마치 날카로운 칼을 어린아이에게 쥐어주는 것과 같다. 손실이 발생하더라도 작은 금액으로 시작하는 것이 훨씬 낫다. 투자를 오랫동안 경험하면 수익과 손실의 주기를 이해하게 된다. 워렌 버핏과 같은 투자 대가들조차 큰 손실을 경험한 적이 있고, '빅 쇼트'의 마이클 버리도 큰 수익을 거두었지만, 이후 하락 시장에서 손실을 보았다. 이처럼 투자 분야에서 가장 뛰어난 인물들도 실패를 겪는다. 변동성이 큰 자산 가격의 움직임을 견디고 평정심을 유지하기 위해서는, 첫 투자 금액을 작게 하는 것이 현명하다."

주식 투자에서는 수익률의 백분율이 중요하므로, 투자 금액의 크기에 상관없이 동일한 가격으로 매수하여 높은 수익률을 달성한다면 그것이 의미가 있다. 투자는 선택의 연속이며, 이러한 선택의 결과를 면밀히 분석하고 스스로에게 피드백을 제공함으로써 승률을 점차 높여가야 한다. 항상 수익을 거둘 수는 없을지언정, 10년전과 비교했을 때 승률은 더 높아야 한다는 의미이다. 큰 금액으로 시작하는 것을 권하지 않는 이유는, 손실을 경험하더라도 적은 금액으로 자주 경험하는 것이 더 유익하기 때문이다. 투자 초보자는 수익을 얻었을 때 과도한 자신감을 가질 수 있고, 반대로 손실을 입었을 때는 패닉 상태에 빠져 합리적인 결정을 내리지 못하는 경향이 있다.

손실이 누적될 때 적절한 시점에 손절매를 하지 못하고, 계속해서 추가 투자하는 것은 이러한 문제의 대표적인 예이다.

회사와 업무에 충실하라

앞서 월급을 받자마자 투자하라고 말했지만, 투자 초보자가 걸음마를 시작하는 기본 자금은 월급에서 나온다는 사실을 기억해야 한다. 손실이 발생하더라도 월급이 있으면 최소한 생활비에 대한 걱정은 없다. 코로나 버블 기간 동안 일시적인 수익률을 자신의 장기 수익률로 오인하여 전업 투자로 전환하거나 업무에 소홀해진 뒤 장기 손실을 겪고 후회하는 사례는 주변에서 흔히 볼 수 있다. 월급은 시장 변동성에 휘둘리지 않고 안정적으로 투자를 배울 수 있는 기반이 된다.

사회 초년기에 자신의 경력 가치를 높이는 것은 가장 수익률이 높은 투자 방법 중 하나이다. 이는 앞에서 언급한 안정성보다 더 중요한 요소로, 사회 초년생 시기에는 회사 내에서의 승진이나 이직을 통해 증가하는 급여의 총 수익을 순수 투자 수익으로 따라잡기는 어렵다. 예를 들어, 연봉 3,500만 원인 직장인이 자기계발을 통해 경력 가치를 높인다면, 이는 손실 없이 안정적으로 수익률을 증가시키는 투자와 같다. 연봉의 절반을 투자한다고 가정하면, 5 년 동안 약 1 억 원의 시드 머니를 마련할 수 있다. 이 경우, 평균 급여 인상률이나 인센티브와 같은 추가적인 변수를 고려해야 할 필요가 있다.

반면 투자 초보가 직무 개발을 포기하고 투자에만 집중한다면, 증권사나 언론이 제시하는 평균 수익율이 매년 동일하게 얻어지는 것이 아니라는 사실을 인식해야 한다. 예를 들어, 2020 년에 50% 수익률을 올린 후 2021 년에 -30% 손실을 경험한 종목을 생각해보자(예: 중국 기술주가 포함된 홍콩 항셍 지수). 이 경우 두 해의 평균 수익율은 0%에 불과하다. 증권사 직원이나 은행원이 평균 수익율이 0%이지만 유망하다고 소개한 종목에 투자한다면, 안심할 수 없을 것이다. 손실 가능성이 없다는 것은 중요한 장점이다. 특히 직장인의 급여는 30 대에 증가하여 40 대에 정점에 이른 뒤, 꺾이는 반면, 투자는 70 세, 80 세까지도 수익율을 꾸준히 유지하는 것이 가능하다. 따라서 사회 초년생은 직무 개발과 경력 구축에 더 중점을 두어야 한다는 것이 분명하다.

따라서 사회 초년생 직장인에게 이상적인 투자 방식은 업무 시간에는 본업에 집중하고, 이를 통해 얻은 급여와 수익을 퇴근 후 자신이 선택한 자산에 투자하는 것이다. 이는 자신의 노동소득을 최대한으로 끌어올리는 동시에, 노동소득이 정점에 도달할 시기에 쌓아온 투자 경험을 활용하여 저축한 자산을 늘리는 전략이라 할 수 있겠다.

다양한 자산 탐색하기

자산(Asset)은 경제적 가치를 지닌 재화를 말한다. 이는 과거의 거래 결과로 현재 기업이나 개인이 통제하고 있으며, 미래에 경제적 혜택을 가져올 것으로 기대되는 현재의 권리이다. 간단히 말해, '돈이 되는 것'이라고 할 수 있다. 보통 사람들이 투자를 생각할 때 떠오르는 주식이나 부동산은 실제로 다양한 투자 자산 중 일부에 지나지 않는다.

증권 어플리케이션을 통해 볼 수 있듯이, 주식 외에도 다양한 자산을 거래할 수 있다. 여기에는 금, 은 같은 원자재, 회사나 국가에서 발행한 채권, 주식(상장 주식과 비상장 주식으로 나뉨), 그리고 기초 자산 가격을 기반으로 하는 파생상품 등이 포함된다. 파생상품에는 옵션(특정 권리의 매매) 및 선물(미래의 특정 시점에 특정 가격으로 자산을 매입하거나 매도할 수 있는 법적 약정)이 있다. 한 어플리케이션에서 거래 가능하다 하여 주식과 비슷하다고 오해할 수 있지만, 각 자산별로 다른 법과 제도가 적용되며, 투자에 성공하기 위해서는 이들 자산의 특성을 잘 이해해야 한다.

자산 간의 상관관계를 이해하는 것도 중요하다. 예를 들어, 달러와 금의 가격은 보통 브레턴 우즈 체제 이후 음의 상관관계를 보이고 있어, 달러 가치가 상승하면 금 가치는 하락하는 경향이 있다. 반면, 채권과 주식 가격은 대체로 양의 상관관계를 가진다고 볼 수 있다. 그러나 거시경제 상황과 시장 유동성에 따라 이러한 상관관계는 약해지거나 반대로 나타날 수도 있다. 예를 들어, 2023 년 하반기 현재 금리 상승에도 불구하고 나스닥 지수는 크게 상승했다. 이는 금리 상승으로 인해 기술주의 가치가 하락할 것이라 예상하고 숏 포지션을 취한 많은 투자자들과 개인 투자자들은 큰 손실을 보고 시장을 떠났다.

예를 들어 당신이 금 가격이 상승할 것이라고 판단했다고 치자. 금 가격이 상승한다는 의미는 달러의 가격이 떨어진다는 것과 같은 말인데, 그 말은 미국의 경제가 침체되거나 미국 외 다른 이머징 마켓(신흥 개발국)의 화폐 가치가 상승한다는 뜻이다. 그런데 금은 주식과 다르게 가치 성장성이 전혀 없는 원자재이기 때문에 다른 나라의 화폐 가치 또한 하락해야만 금을 매수하는 의미가 있다. 결론적으로 금을 매수한다는 것은 미국을 포함한 모든 나라의 화폐 가치가 하락한다는 데 베팅한다는 의미이고, 이는 곧 본인이 세계적인 경기 침체나 그에 준하는 이벤트의 발생 예상한다는 의미이다. 그렇게 금을 매수하기로 결정했다면 금을 살 수 있는 방법은 크게 두 가지이다. 현물로 매수하는 방법과 증권 앱을 통해 온라인으로 거래하는 방법. 현물로 매수하는 경우, 공식 시세에 10%의 부가가치세가 붙으며, 매매 차익에 대하여 추가적인 세금이 부과된다.

예를 들어 당신이 금 가격 상승을 예상한다고 해보자. 금 가격이 상승하는 것은, 통상적으로 달러 가치가 하락한다는 것을 의미하며, 이는 미국 경제의 침체 또는 신흥 개발국의 화폐 가치 상승을 의미할 수 있다. 하지만 금은 주식과 달리 배당이나 성장성이 없는 원자재이므로, 미국을 제외한 다른 나라의 화폐 가치가 하락할 때 금을 매수하는 것이 유의미하다. 결국 금을 매수하는 것은 전 세계적인 화폐 가치 하락에 베팅하는 것이며, 이는 경기 침체를 예상하는 것과 같다. 금을 매수하기로 결정했다면, 크게 현물 매수와 온라인 거래 두 가지 방법이 있다. 현물 매수 시, 공식 시세에 부가가치세 10%가 붙고 매매 차익에 대한 추가 세금이 부과될 수 있다.

반면, KRX 금시장을 통한 온라인 매매는 시세 차익에 대한 비과세 혜택과 부가가치세 면제 혜택이 적용된다. 금은 고대부터 가치를 인정받아왔으며, 달러가 세계 기축통화가 되기 전까지는 모든 통화의 기준 자산이었다. 현재도 여러 나라가 금을 일정량 이상 보유하고 있으며, 실물 금 보유에 대한 관리와 규제가 엄격하다. 최근 미국과 각을 세우고 있는 중국의 경우, 코로나 팬데믹 이후 금 보유량을 20%가까이 늘려왔다.

만약 당신이 화폐 가치 폭락으로 금을 통한 거래가 일반화될 것으로 예상한다면, 높은 세금을 감수 하고라도 현물을 보유하는 것을 고려할 수 있고, 시세 차익을 목적으로 한다면 온라인 매매를 통해 투자할 수 있다. 또한 필요한 경우 온라인 매매를 통해 현물을 받는 것도 가능하다.

최근 일반인들의 채권에 대한 관심이 증가하고 있다. 채권은 확정된 이자 수익을 제공하는 유가증권으로, 정부, 공공 기관, 주식회사 등이 대규모 장기 자본을 조달하기 위해 발행하는 차용 증서이다. 증권 산업 금융 시장 협회(SIFMA)의 데이터에 따르면, 2020 년 말 기준으로 글로벌 주식 시장의 규모는 약 105 조 달러인 반면, 채권 시장은 123.5 조 달러로, 주식 시장보다 약 20% 더 크다(채권 매수자는 만기 시 원금과 약속된 이자를 함께 받는다). 전통적으로 큰 자본을 안전하게 운용해야 하는 투자 기관들이 채권을 주로 거래했으나, 코로나 팬데믹 이후 금리 변동성이 커지면서 일반 투자자들도 채권 매수에 관심을 보이기 시작했다. 채권은 주로 국가가 발행하는 국채와 기업이 발행하는 회사채로 구분된다. 만기 기간에 따라 단기채, 중기채, 장기채로 분류되며, 투자 위험이 높은 경우에는

'하이 일드 채권'이라고 불린다. 이는 발행 주체가 파산할 위험성이 있기 때문에 매수를 유인하기 위해 높은 이자율을 제공한다. 하이 일드 채권은 특히 자금 조달이 필요한 기업이 높은 이자율을 제안하여 발행하는데, 시장의 공포감이 경제에 과도하게 반영되어 있다고 판단될 때, 투자자들은 이를 매수하여 높은 수익을 기대할 수 있다. 리스크가 큼에도 불구하고 이는 매력적인 투자 옵션이 될 수 있다. 채권은 직접 매입하거나, 다양한 채권을 포함하는 ETF 형태로 투자할 수도 있으며, 일부는 월별 배당을 제공한다. 채권 가격과 금리는 복잡한 요인에 의해 결정되는데, 자세한 내용을 이 책에서 다루지는 않겠다. 중요한 것은 다양한 자산 종류와 금융 기술의 발달로 인해 투자 방식과 적용되는 정책이 매우 다양하다는 점이다.

자산 별 거래 시장 숙지하기

자산 선택에 대한 이해를 넓힌 후에는 그 자산을 매수하는 방법을 알아볼 필요가 있다. 만약 당신이 미국 주식에 관심이 있어 증권 앱을 사용한다면, 언제 주식을 매수할 수 있을까? 정규 거래 시간인 한국 시간으로 오후 11:30 부터 다음 날 오전 6:30 까지가 가장 활발한 거래 시간이다. 하지만, 정규 거래 시간 이외에도 프리 마켓(Pre-market) 거래가 오후 6:00 부터 11:30 까지, 애프터 마켓(After market) 거래가 오전 8:00 까지 가능하며, 주간 거래 시간은 오전 10:00 부터 오후 5:00 까지로 설정되어 있다. 이는 하루 중 21 시간 동안 거래가 가능하다는 것을 의미한다(추후 증권사 운용 정책에 따라 변동될 수 있다). 단, 정규 거래 시간 외 거래는 주로 개인 투자자들에 의해 이루어지기 때문에 변동 폭이 클 수 있다. 예를 들어, 어떤 주식이 주간 거래 시간 동안 100% 이상 상승했다면(미국 시장은 한국과 달리 상한가 제한이 없음), 정규 거래 시간에 이 상승분을 전부 잃는 경우도 흔하다.

실제 필자는 2023 년 하반기 비트코인 급등 시기에 이러한 거래소별 매매 시간대의 빈틈을 활용해 수익을 낸 적이 있다. 코인 거래소는 기존 금융시장과 달리 휴장 시간이 없다. 주말, 공휴일, 낮/밤 상관없이 항상 시세가 오르고 내린다. 그런데 주식 종목 중에는 소위 코인 가격과 긴밀한 상관관계를 가진 종목도 있다. 코인 거래소인 코인베이스(티커: COIN)는 코인 시장에 유동성이 들어와 거래량이 활발해지면 수혜를 보는 종목이고 마라 디지털 홀딩스(티커 : MARA), 라이엇 블록체인(티커 : RIOT)는 비트코인을 채굴하는 기업으로, 비트코인 가격에 따라 수익이 나기 때문에 비트코인의 가격이 상승할수록 주가도 상승하는 종목이다. 그런데 만약 정규 거래시간 외에서 비트코인 가격이 급등한다면 어떻게 될까? 전체 주문량의 70% 이상인 기관과 알고리즘 매수가 이뤄지지 않기 때문에 거래 주체들의 판단에 타임 랙이 생겨 비트코인 가격의 상승분이 관련 수혜 종목에 바로 반영되지 않는 틈이 생기게 된다.

2023년 하반기에 비트코인의 급등세를 경험하면서, 필자는 거래소별 매매 시간대의 차이를 활용해 수익을 낼 수 있었다. 코인 거래소는 전통적인 금융 시장과 달리 24시간 연중무휴로 운영되며, 주말이나 공휴일에도 시세 변동이 발생한다. 주식 시장에는 비트코인 가격과 밀접한 상관관계를 가진 종목들이 있는데, 예를 들어 코인베이스(COIN)는 코인 시장의 유동성 증가 시 수혜를 받는 종목이고, 마라 디지털 홀딩스(MARA),

라이엇 블록체인(RIOT)과 같은 비트코인 채굴 기업들은 비트코인 가격이 상승하면 채산성이 높아져 주가가 동반 상승한다. 하지만 정규 거래 시간 외에 비트코인 가격이 급등하면 어떨까? 기관 투자자나 알고리즘 매매가 활발하지 않은 시간에는 거래 주체들이 가격 변동에 즉각적으로 반응하지 못해, 비트코인 가격의 상승분이 관련 주식에 바로 반영되지 않는기 때문에 개인들에게 기회가 생길 수 있다.

2023년 11월 중반의 어느 금요일, 주식시장의 정규 거래 시간이 마감한 후 저녁시간에 비트코인의 가격이 급등세를 보였다. 필자는 이 상승 추세가 시작되기 전에 애프터 마켓에서 비트코인 관련 주식을 선점하여 매수했다. 알고리즘 기반의 고속 매매가 이루어지는 일반 거래 시간이었다면, 시장은 불과 0.01초 만에 비트코인의 가격 상승을 주식시장에 반영했을 것이다. 그러나 주말에는 주식시장이 폐장하므로, 이후 주말 동안 비트코인은 가격이 크게 올랐고, 월요일 개장과 동시에 비트코인 관련 주식은 주말동안 비트코인의 상승분을 반영하여 필자에게 상당한 시세차익을 가져다주었다. 이처럼, 기회는 끊임없이 준비하는 투자자에게 온다. 무관심하게 지내면 눈 앞까지 다가온 기회를 인식하지 못할 수도 있다.

각 국내 증권사는 미국 증권 거래소와의 다양한 거래 계약에 따라 거래 시간이 각기 다를 수 있다. 특히, 코로나 팬데믹 이전에는 주간 거래가 흔하지 않았다. 2020 년 이전, 미국 주식시장에서 주간 거래는 사실상 불가능했다. 하지만 이후 국내 투자자들의 미국 주식 거래량이 증가하면서, 각 증권사는 주간 거래 옵션을 도입하기 시작했고, 이 도입 시기는 증권사마다 최대 2-3 개월 차이가 났다. 이는 악재 발생 시 일부 투자자는 주간 거래를 통해 손실을 줄일 수 있는 반면, 다른 투자자들은 큰 폭락을 경험할 수 있다는 것을 의미한다. 좋은 소식이 발생했을 때도 마찬가지다. 또한, 일부 원자재나 레버리지 상품에는 'PTP 규제'가 적용되어, 거래 금액의 10%에 해당하는 세금이 부과될 수 있다. 인기 있는 주식(예: 테슬라, 엔비디아)에는 종종 개별 인버스(하락에 베팅) 상품이 출시되기도 한다.

시장의 변화는 단순히 주식 가격에 국한되지 않는다. 금융 제도와 기술 발전, 그리고 투자자들의 수요 변화에 따라 거래 규칙이 바뀌기도 하고, 다양한 금융 상품들이 금융 공학자들에 의해 개발되어 시장에 출시되거나 철회되기도 한다. 최근에는 비트코인 ETF의 출시 가능성이 시장의 관심을 모으고 있다. 만일 이 ETF가 출시된다면, 해당 상품에 대한 패시브 투자(특정 섹터나 지수에 자동으로 투자되는 자금)가 집중될 것이다. 이러한 이유로, 지속적인 시장 참여와 변화에 대한 직접적인 경험 및 학습이 중요하다. 이를 소홀히 하면 다른 사람들이 성공의 축제를 즐기고 난 뒤 빈 그릇을 설거지해야 한다. 유튜브 동영상 강의나 책에서는 이런 중요한 사실들을 자세히 알려주지 않는다. 왜냐하면 계속 업데이트 되니까! 현대 사회에서 중요한 것은 끊임없이 업데이트되는 정보를 빠르게 선점하는 것이다.

투자에 성공하기 위해서는 단순히 자산의 정의를 알고 있는 것만으로는 부족하다. 투자자는 자신의 현재 재정 상태를 정확히 이해하고, 전체 포트폴리오 내에서 각 자산의 비중을 적절히 조절할 수 있어야 한다. 또한, 매매하고자 하는 자산의 현재 가치가 적절한지 스스로 판단하고, 그에 따라 매매 전략을 세워야 한다. 거시경제의 동향과 유동성이 집중되는 섹터를 파악하는 것도 필수다. 이 모든 것은 온라인 강의나 유튜브 콘텐츠만으로는 충분히 이해할 수 없다. 시장은 지속적으로 변화하는 생명체와 같아서, 한때 효과적이었던 전략이 더 이상 작동하지 않을 수 있다. 결국, 다양한 자산군에 대해 깊이 있게 공부하고 실제로 투자를 통해 경험해보는 것이 가장 효과적인 학습 방법이다. 특히, 투자를 막 시작한 직장인에게는 다양한 투자 기회를 탐색하고 학습할 수 있는 최적의 시기이다.

비자발적 장기투자 하지 않기

정확히는 게으르고 수동적인 장기투자를 하지 말라는 뜻이다. 필자 주변에도 주식에 투자하는 직장 동료, 친구들이 많다. 그러나 이들 중 다수가 투자 후 충분한 관심을 기울이지 않는다. 이들은 시장의 호재나 악재에 상관없이 주식을 계속 보유하며, 오직 가끔씩 뉴스에서 듣는 소식으로만 계좌를 확인한다. 이런 태도를 가진 투자자들은 질 나쁜 CEO들의 좋은 먹잇감이 된다. 적게 매매하라는 얘기가 투자에 대한 관심을 줄여도 된다는 것은 아니다. 상승과 하락을 반복하는 시장 변동성을 고려하지 않고 단순히 뉴스를 보며 반응하려는 태도는 종종 고점에서 매도하고 저점에서 매수하는 실수로 이어질 수 있다. 대중 미디어에 노출되는 소식은 이미 기민한 투자자들이라면 전부 아는 소식이기 때문이다. 투자자는 위험 관리와 투자 포트폴리오의 다양성을 고려하여, 큰 뉴스에만 의존하는 것이 아닌 지속적인 시장 분석과 정보 업데이트를 통해 보다 현명한 투자 결정을 내려야 한다. 이는 투자의 본질적인 어려움을 이해하고, 시장의 변화에 능동적으로 대응하는 데 필수적인 접근 방식이다.

2021년 에너지 분야에 투자하던 당시 코로나 위기를 헤쳐나가며 우수한 유전을 획득한 소규모 업스트림(원유 시추 및 생산) 회사 앰플리파이 에너지(티커: AMPY)의 주식을 매수했다. 이 종목은 필자의 포트폴리오에서 상당한 비중을 차지했으며, 저평가된 상태에서 성공적으로 매수하여 안정적인 수익을 창출하고 있었다. 하지만 2021년 10월 1일, AMPY 소유의 해양 유전 파이프라인에서 원유 유출 사고가 발생했다. 이로 인해 공급 중단과 배상 문제가 불가피한 큰 위기가 발생했고, 해당 소식을 접했을 때 애프터 마켓에서 주가는 이미 30% 가까이 급락한 상태였다. 잠에서 깨어 계좌를 확인했을 때, 그것이 현실임을 믿기 어려웠다. 단 하루만에 3개월 동안의 수익이 절반으로 줄어들었다. 이때 중요한 결정을 내려야 했다. 매도하거나 버티거나. 필자는 버티기를 선택했다.

이 결정은 단순히 손실에 대한 두려움으로 내린 결정이 아니었다. 첫째, 주가는 이미 과도하게 하락한 상태였다. 다른 에너지 회사들의 과거 사고를 분석했을 때, 이 사건의 손실 규모가 평균치보다 클지라도, 현재 주가의 급락은 이미 이를 반영하고 있었다고 판단했다. 둘째로, 에너지 섹터 전반의 기초체력(펀더멘털)이 견고했다. 코로나 백신 승인 이후 자금 유입이 늘어난 상황에서, 단기적인 손실에도 불구하고 섹터와 함께 회사의 실적이 회복될 것이라고 전망했다. 백신이 없고 자금 유입이 없었다면, 손실을 감수하고 주식을 매도했을 것이다. 다행히도 판단은 들어맞았고, 주가는 몇 개월 동안 서서히 회복되었다. 반년 후에는 30%의 수익을 달성하고 매도했으며, 이후 주가는 40% 추가 상승했다. 본인이 투자한 종목에 대한 깊이 있는 분석 없이 단순히 코로나 극복 기대감에 투자했다면, 유출 사고 이후 큰 손실을 입고 매도했을 것이다. 혹은 유사한 사고에 대한 두려움으로 전체 섹터에서 철수했을 수도 있다. 그랬다면 나는 지금 이 책을 쓰고 있지 못했을 것이다.

공부하고, 또 공부하기

전설적인 투자자 피터 린치는 이런 말을 했다. "왜 사람들은 주택 구매 시에는 세심한 조사를 하고, 주식 매수는 남의 추천에 의존하여 성급하게 매매합니까?" 투자금액의 크기와 관계없이 신중한 접근이 필요하며, 오랜 기간 모은 자금을 투자할 때 더욱 그러하다. 투자한 자금은 기업의 자본이 되어 다양한 목적으로 활용된다. 급여 지급, 신기술 개발, 또는 부채 상환 등. 그러나 때로는 기업 성장에 기여하지 않는 방향으로 사용될 수도 있다. 예를 들어, 경영진의 과도한 보너스 지급, 약속된 배당금 지연, 무리한 신규 자산 인수 등이 있다. 이는 과장된 이야기가 아니며, 여러 경제 및 사회 뉴스를 통해 확인할 수 있는 현실이다. 기업이 스스로 잘 관리할 것이라는 안일한 생각으로 투자를 방치해서는 안 된다.

주가는 다양한 요인에 의해 변동성을 보이며 상승 또는 하락한다. 특정 주식을 매수한 뒤 관련 소식을 지속적으로 접하다 보면 예상치 못한 다양한 이슈로 인해 마음이 흔들리는 것을 경험할 수 있다. 이와 같은 이유로, 많은 투자 강의에서는 단순히 매수 후 장기 보유를 권장한다. 그러나 많은 투자자들이 끊임없이 발생하는 시장 변동성을 견디지 못하고 결국 매도하거나 더 이상 시장 소식을 확인하지 않게 된다. 시간이 흘러 한 달, 분기, 또는 해가 바뀔 때 계좌를 확인하면 주로 두 결과 중 하나를 보게 된다. 크게 상승하거나 크게 하락하거나. 수익을 얻었다면 길게 보유한 보람이 있지만, 큰 손실을 입은 경우 많은 사람들은 "주식을 해보았지만, 오랫동안 기다려도 큰 수익을 보지 못했다"고 말하며 투자 시장을 떠나고 만다.

이런 부류의 투자자들이 범하는 실수는 주로 두 가지로, 첫째는 부적절한 종목 선택이다. 단순히 인기 있는 종목을 선택하면, 종종 최고점에서 매수하게 되어 단기적으로는 1년,

장기적으로는 수년간 손실을 입게 될 수 있다. 둘째는 적절한 대응의 부재이다. 손실 상태일 때, 장기 보유로 이익을 기대할 수 있는지, 아니면 손절매를 통해 다른 수익 가능성이 높은 종목으로 전환할지 결정해야 한다. 수익 상태라면, 설정한 투자 목표나 수익 실현 포인트에 도달했는지 검토하고 필요한 조치를 취해야 한다. 이러한 고민 없이 방치해 둔다면 당신이 보았던 높은 수익율은 시간이 지나 다시 평균으로 회귀하여 쪼그라들 확률이 높아지며, 수익을 낼 확률은 현저하게 줄어든다. 혹 운 좋게 큰 수익을 보더라도 다음에 투자할 때에도 수익을 실현할 타이밍을 모르기 때문에 수익을 볼 확률은 이전보다 높아지지 않는다. 학습 효과를 보지 못한다는 얘기다. 시험을 쳤다면 채점을 하고 피드백을 하고 부족한 부분을 보강하여 다음에 같은 문제가 출제되었을 때는 틀리지 말아야 한다. 아무 행동도 하지 않는 장기투자는 아무런 피드백 없이 시험만 계속 치는 것과 다를 게 없다.

이렇게 방치하면 본래 높았던 수익률은 시간이 흘러 평균치로 돌아가며, 이로 인해 장기적인 수익률은 낮아지게 된다. 혹 운 좋게 큰 수익을 얻었다 하더라도, 적절한 투자 시점을 파악하지 못하면 이후 수익 가능성은 향상되지 않는다. 이는 마치 시험을 보고도 채점과 피드백 없이 다음 시험에 대비하지 않는 것과 같다. 실력이 항상 제자리 걸음인 것이다. 장기투자에서도 적절한 행동과 피드백이 반드시 필요하다.

자신이 매수한 종목이 특정 뉴스에 어떻게 반응하는지, 시장 지수 대비 성과가 어떤지 등은 평소 꾸준한 모니터링 없이는 파악하기 어렵다. 매일 최소 한 번은 가격 변동을 확인하고, 해당 종목에 영향을 미칠 수 있는 긍정적 또는 부정적 요인들을 검토해야 한다. 예를 들어 매출에 영향을 줄 수 있는 사건이나 증권사의 분석 보고서가 해당 종목에 긍정적인지를 확인하는 것이 중요하다. 매일 거래를 하려는 목적이 아니라, 시장의 '분위기'를 파악하기 위함이다. 주식 가격이 하락할 때는 일반적으로 급격한 변동성을 보이기 때문에, 투자한 종목에 영향을 미칠 수 있는 이슈들을 지속적으로 모니터링하는 것이 중요하다.

직장인만의 여유 갖기

월급으로 생기는 여유자금은 직장인이 다른 전문 투자자들과 구별되는 큰 장점이다. 직장인이 빚을 지거나 고위험 투자 상품에 자금을 투입하는 것은, 자신의 이점을 스스로 포기하는 행위로, 심리적인 부담을 가중시킨다. 직장인은 잠정적인 손실에도 불구하고 안정적인 월급이 보장되므로, 손실을 실현하지 않고 버틸 수 있는 능력이 있다. 반면, 전문 트레이더들은 일정 기간마다 고객에게 보고를 하고 수익률을 통해 자신들의 성과를 평가해야 하므로 항상 심리적 압박감에 시달려야 한다. 이들에게 1%, 2%의 수익률 차이는 막대한 금액이다. 고객으로부터 위탁 받은 투자금이 증가함에 따라 시장 평균 수익률을 뛰어넘기 위해서는 더 큰 리스크를 감수해야 하지만, 이는 현실적으로 어려운 일이다.

이런 이유로 개인 투자자가 단기간에 큰 수익을 내더라도 안정적인 급여를 포기하고 전업투자자가 되는 것은 권장하지 않는다. 기관 트레이더들은 시장 상황에 따라 투자 포지션을 조정하고 변동성이 높은 자산을 피하며 일관된 수익 창출을 목표로 한다. 반면, 개인 투자자들은 특정 기간에 일정 수익을 달성할 필요가 없으며 자신의 자금으로 투자함으로써, 상대적으로 더 높은 리스크를 감수할 수 있다. 물론 이들은 종종 레버리지 상품에 여유자금 전부를 투자하거나, 암호화폐에 전 재산을 투자하고, 심지어 부동산에 투자하기 위해 과도한 빚을 지기도 한다. 이러한 극단적인 고위험 투자는 실패할 경우 손실을 복구하는 데 매우 오랜 시간이 소요된다.

실제로 필자의 친구 한 명은 천만 원으로 암호화폐 거래를 시작해 수개월 만에 1억 원의 수익을 얻었다. 하지만 이내 급격한 하락으로 이익이 5천만 원으로 줄어들었다. 원금 대비 5배의 수익을 얻었음에도 불구하고, 많은 투자자들이 전고점을 기준으로 손실을 계산하는 경향이 있듯이, 최고 수익 시점부터의 하락을 모두 손실로 간주하는 경향이 있다. 마음이 조급해진 친구는 전고점을 회복하려고 노력했지만, 오히려 손실을 늘렸고, 결국 두 달 만에 모든 자본을 잃고 거래를 포기했다. 레버리지를 사용한 선물 거래는 수익이 클 때는 몇 배로 증가할 수 있지만, 손실도 그만큼 커질 수 있다.

개인적으로는 친구가 빚을 지지 않은 것이 다행이라고 생각한다.

감정에 휘둘리거나 단기적인 관점에 매몰되는 것은 잘못된 투자 결정으로 이어지며, 이는 손실의 신속한 누적으로 이어진다. 게다가 개별 투자자는 투자에 대하여 결정하고 행동할 때, 외부의 조언이나 경고를 듣는 기회가 드물다. 금융기관이나 자산운용사의 트레이더는 자신의 포트폴리오를 관리하기 위해 여러 단계의 승인 절차를 거쳐야 하며, 리스크 관리 부서는 위험도가 높은 포지션에 대해 헷지 전략을 적용하도록 지시한다. 이러한 예방책은 전문 트레이더에게도 중요하다. 정보와 판단력이 상대적으로 부족한 개인 투자자는 성급한 결정으로 부정적인 결과를 초래할 위험이 있다. 인터넷 커뮤니티에서는 성급한 투자로 인한 많은 실패 사례를 쉽게 찾아볼 수 있다.

심지어 능숙하고 노련한 투자자라 할지라도 이익과 손실의 순환은 필연적이다. 조급함이 커지면 매매 전략이 혼란스러워지고 논리적인 투자 계획을 세우기 어렵게 된다.

직장인은 매월 지출되는 공과금, 대출 이자, 생활비를 고려하여 여유로운 투자를 하는 것이 중요하다.

또 직장인에게는 업무 외 여가 시간을 유연하게 활용할 수 있는 장점도 있다. 근무 시간이 확실하게 정해져 있어서 시장 동향이나 투자에 대해 공부하기 좋다. 자영업자들은 근무 시간이 정해져 있지 않아서 시장의 변화를 빠르게 체크하고 대응하는 것이 어렵다. 그러나 직장인은 업무시간을 마치고 나서 퇴근길에 시장의 주요 이슈를 확인하고, 자신의 포트폴리오를 점검하는 데 시간을 할애할 수 있다. 특히 미국 주식 시장은 한국과 거래 시간이 정반대인데, 필자의 경우를 예로 들면, 퇴근하는 시간에 장전 이슈를 점검하고, 경제지표 발표나 정치, 경제계의 주요 인사들의 발언 시간을 확인한다. 장이 시작되면 초반 흐름을 살펴보고 필요한 경우에만 매매를 한 뒤 수면을 취한다. 그리고 다음날 출근하며 전날 시장에서 일어난 사건과 거래 흐름을 살펴본다. 이렇게 자신만의 루틴을 만들면 투자 실력을 키우는 것은 물론이고, 신경을 다른 데로 돌려 직장에서 받는 스트레스도 줄인다는 소소한 장점도 있다.

직장인은 업무 외의 여가 시간을 효율적으로 활용하는 이점이 있다. 고정된 근무 시간 덕분에 시장 동향과 투자 관련 지식을 습득할 수 있는 여유 시간을 확보하는 데 유리하다. 반면, 자영업자는 불규칙한 근무 시간으로 시장 변동에 민첩하게 대응하기 어려울 수 있다. 직장인은 퇴근 후 시장의 주요 동향을 확인하고 포트폴리오를 검토하는 데 시간을 할애할 수 있는데, 특히 한국과 거래 시간대가 다른 미국 주식 시장을 예로 들 수 있다. 예를 들어, 퇴근 시간에 장전 주요 이슈를 확인하고, 중요한 경제 지표 발표나 정치적, 경제적 인사들의 발언을 확인할 수 있다. 시장 개장 후 초기 흐름을 파악하고 필요한 경우 거래를 마친 후에 수면을 취한다. 그리고 다음날 출근하며 전일의 시장 동향을 분석한다. 이러한 일상의 루틴은 본인의 투자 능력을 향상시킬 뿐만 아니라, 직장 생활에서의 스트레스도 경감시키는 소소한 이점도 있다.

제2장 팬데믹 버블

2-1. 위기는 곧 기회

투자 기회였던 코로나 팬데믹

직장인은 안정적인 급여를 활용해 지속적인 투자 연습을 하는 것이 중요하다. 그렇다면 경력 초기의 직장인은 어떠한 투자 전략을 구사해야 할까? 투자의 핵심은 '언제', '어디에', '어떻게' 투자하는가에 달려 있다. 이 장에서는 코로나 팬데믹 버블 시기 저자의 투자 경험을 공유하고자 한다.

'언제'는 투자 타이밍에 관한 것이다. 어떤 기업이 밝은 미래 전망과 안정적인 수익성을 보여준다 해도, 이미 주가가 크게 상승한 상황에서의 매수는 고민해 볼 문제다. 반대로 비전이 부족하고 실적이 저조한 기업의 주가가 크게 하락했을 때의 매수는 어떨까? 이에 대한 답은 '상황에 따라 다르다'는 것이다. 주가가 상승하더라도, 기업의 실적이 지속적으로 성장하고 투자가 이어져 대중의 관심을 끌고 있다면 추가 상승 가능성은 충분하다. 그러나 주가가 급등한 후 실적 성장이 둔화되고, 고가 구간에서 장기간 정체되는 경우에는 가격이 추가로 하락할 가능성이 높다.

'어디에'는 투자할 자산의 종류를 결정하는 것을 의미한다. 예를 들어 삼성전자 주식을 매수한다면, 이는 '국가'와 '산업'에 대한 두 가지 중요한 선택을 함께 내린 것이다. 중요한 것은 모든 자금이 모든 시장에 공평하게 분배되지 않는다는 점이다. 특정 산업이나 국가에 투자 가치가 있다고 판단되면, 그 분야에 투자하여 해당 지수나 섹터, 산업 전반의 성장에 대한 이익을 얻을 수 있다. 더군다나 이러한 추세는 단기간에 끝나지 않고, 때로는 1년에서 5년 이상 지속될 수 있다. 예를 들어, 우리는 지난 10년 간 글로벌 공급망의 중심으로 자리잡은 중국 기업들의 견고한 주가 상승을 확인할 수 있다. 그러나 미국과 중국의 무역 갈등, 코로나 팬데믹으로 인한 지방 정부의 재정 문제로 해외 투자자들의 자금 이탈이 시작되며, 안정적이었던 중국 시장은 지난 5년간 큰 타격을 받았다.

미국의 나스닥 지수는 코로나 팬데믹 이후 1년 동안의 조정 기간을 거쳐 최고점에 근접하며 회복세를 보였다. 그러나 중국의 기술 기업들을 대표하는 홍콩 항셍 지수는 팬데믹 발발 후 급격한 하락을 겪었다. 경제가 서서히 회복되고 정부의 주가 부양 조치들이 발표되었음에도 불구하고, 한 번 이탈한 투자자들의 신뢰를 되돌리기는 어려웠다. 2021년과 2022년에 걸친 심각한 하락 이후 중국 기업들의 실적은 어느정도 개선되었으나, 중국 정부에 대한 불신, 미국과의 갈등, 경기 회복에 대한 기대감의 약화가 투자자들의 관심을 되돌리는 데 실패했다. 결과적으로, 주가 하락 대비 기업 실적만을 근거로 투자한 이들은 큰 손실을 입었다. 워런 버핏의 오랜 동료 찰리 멍거와 '브릿지 워터'의 레이 달리오도 중국 투자에서 큰 손해를 경험했다. 이는 미래를 예측하고 투자하는 것이 얼마나 도전적인 것인지를 보여준다.

'어떻게'는 관심 있는 기업의 주가가 매력적인 수준에 도달했을 때의 매수 전략을 의미한다. 관심 기업의 주가가 매력적인 가격에 이르렀을 때, 당신은 어떤 방식으로 매수할 것인가? 만약 보유 현금이 부족하다면, 다른 자산을 처분하여 필요 자금을 마련해야 한다. 이 경우, 새로운 자산이 기존 자산보다 더 큰 수익을 기대할 수 있어야 한다. 또한 매수 금액은 전체 투자 포트폴리오 내에서 차지하는 비율에 따라 결정되어야 한다. 주가가 급등하고 있는 상황에서 큰 금액을 한 번에 투자할 수 있지만, 가격이 정체되어 있다면 점진적으로 분할 매수하는 전략을 취할 수 있다. 매도 전략은 설정한 목표 가격에 도달했을 때, 또는 손실이 지속적으로 증가하여 어쩔 수 없이 매도하는 경우에 따라 달라진다. 투자 전략은 개인의 성향에 따라 달라지지만, 중요한 것은 자신이 설정한 규칙을 준수하는 것이며, 심지어 불완전한 규칙이라도 가지고 있는 것이 좋다. 매도 결정을 내릴 때는 설정한 손실 한계가 이익 목표보다 낮아야 한다. 즉, 5%의 수익에 팔고 10%의 손실에서 팔지 않는 것을 의미한다.

이번 장에서는 팬데믹 당시부터 지금까지 필자가 쌓아온 투자 경험을 정리했다. 필자는 소외된 섹터의 기업 주식에 투자하여 상당한 수익을 얻었지만, 투자 능력을 과신해 큰 손실을 보기도 했다. 올바른 선택을 했다고 생각했음에도 시장이 비합리적으로 움직여 분노와 좌절을 느낀 적도 있다. 그럼에도 포기하지 않고 시장을 더 넓은 시각으로 바라보며 새로운 기회들을 발견하기 시작했다. 이러한 기회들을 잘 활용해 손실을 만회할 수 있었으며, 현재는 주식뿐만 아니라 미술품 등 더 다양한 자산에 투자하고 있다. 백명에게 백가지 인격이 있듯, 백명에게는 백가지 투자 방법이 있다. 필자는 뛰어난 투자자는 아니지만, 시장의 변동성을 경험하며 실패에서 배워 규칙을 지속적으로 개선해 가며 손실 이상의 수익을 냈다. 더 뛰어난 투자 감각과 전략을 가진 사람들도 많지만, 여러분도 자신의 투자 성향을 파악하고 자신만의 투자 전략을 세우는 데 이 경험이 도움이 될 것이라 믿는다.

코로나 바이러스 발생

2019 년 12 월, 중국 우한에서 첫 번째 코로나 19 확진자가 보고되었을 때, 많은 이들이 처음에는 그저 일반적인 인플루엔자와 유사한 질병으로 여겼다. 하지만 2020 년 1 월 세계 보건기구(WHO)는 우한에서 발생한 원인 불명의 폐렴에 대해 국제적 공중보건 비상사태를 선포했고, 이어서 한국에서 첫 확진자가 보고되었다. 이후 필리핀, 대만, 호주 등 다양한 국가에서 확진자가 발생하며 코로나 바이러스가 전세계로 빠르게 퍼지기 시작했다. 메르스와 신종 플루와 같은 과거 전염병의 사례를 바탕으로 많은 사람들은 코로나 바이러스가 초기에는 감염자가 급증하다가 이내 소멸할 것으로 예상했다. 따라서 초기에는 세계 자산시장도 이를 크게 우려하지 않았다.

2020 년 3 월 중순 1,000 명이었던 미국의 일일 코로나 확진자 수는 2021 년 1 월에 일일 확진자 80 만 명을 돌파했다. 감염자 수가 예상보다 큰 폭으로 증가함에 따라, 각국 정부는 여행 제한, 격리, 국경 폐쇄 등의 조치를 취했으며, 의료 시스템은 급증할 가능성이 있는 환자 수에 대비했다. 미국에서 집계된

코로나 확진자 수는 총 1억 명을 넘어섰으며, 사망자 수는 100만 명을 초과했다. 이 숫자는 남북전쟁과 제2차 세계대전에서 사망한 미군 수보다 많았다. 사태가 심각해지면서, 정부들은 바이러스 확산 억제를 위해 엄격한 봉쇄 조치를 시행했고, 이는 경제 활동의 둔화를 초래했다. 항만과 공항이 폐쇄되고, 식당, 극장, 공공 시설들이 운영을 중단했다. 학교는 대면 수업을 중단하고 원격수업으로 전환했으며, 유학생들은 각자의 나라로 귀국했다. 활기찬 거리는 한산해졌고, 치안과 보건 인력을 제외한 대부분의 사람들은 외출을 자제했다.

금융 시장의 반응과 무제한 양적완화

더 이상 코로나바이러스가 잠시 유행하고 말 이슈가 아니라는 것을 시장이 깨닫자, 전 세계 자산 가격이 크게 하락하기 시작했다. 나스닥 지수는 한 달 동안 고점 대비 33% 하락했으며, 코스피 지수도 유사한 하락세를 보였다. 우량주로 분류되는 애플, 마이크로소프트와 같은 대기업 주식과 필수 소비재, 헬스케어 업종도 20~30% 하락했다. 대형주는 비교적 빠른 회복력을 보였지만, 일부 중소형주는 최대 90%넘게 하락하여 상장 폐지 위기에 처했다. 일부 건실한 기업들의 주가조차 1 달러 미만의 페니 주식 수준으로 급락했다. 2020 년 4 월 20 일, 서부 텍사스산 중질유(WTI) 원유 선물 가격은 역사적인 폭락을 기록하며 마이너스로 떨어졌다. 금융화된 석유 선물 시장의 특성상 갑작스런 대규모 매도세가 발생했고, 이는 온라인 선물 시장 투자자들에게 심각한 영향을 미쳤다. 선물 계약은 미래의 상품 인도 또는 구매에 대한 계약을 포함하므로 즉각적인 현물 거래가 필요하지 않으며, 이를 통해 실제 상품을 보유하지 않고도 시장에 베팅할 수 있다.

그런데 유가가 마이너스로 떨어졌을 당시, 증권 애플리케이션의 오류로 인해 호가창에서 WTI 원유 선물의 마이너스 가격이 숨겨져 많은 개인 투자자들이 추가 증거금을 납입하지 못하고 자신들의 포지션을 청산할 수밖에 없었다. 해당 증권사는 사과문을 게시했지만, 피해를 입은 투자자들에게 실질적인 보상은 제공하지 않았다. 반면, 글로벌 상품 중개 트레이더들은 전화 통화를 통해 직접 계약을 체결하고, 전 세계의 창고에 상당한 양의 원유를 비축하여 이 상황을 기회로 활용했다.

그들은 몇 달 후에 상당한 이익을 실현하며 원유를 매각했다. 또한, 원유 저장고와 운반선을 보유한 강력한 자본력을 가진 글로벌 원자재 중개 업체들은 이 기회를 놓치지 않고, 저렴한 가격에 대량의 원유 매입 계약을 체결했다. 이후 이들은 전 세계 창고에 원유를 저장해 두었다가, 시장이 회복되면서 이를 매각하여 큰 수익을 올릴 수 있었다.

금융 시장의 변동성과 달리, 실물 경제는 반등 없는 하락 추세를 보였다. 코로나바이러스 팬데믹으로 인한 여행 중단과 원격 근무의 채택이 장거리 출퇴근을 대체하면서, 항공 노선의 감소와 국제 물류선의 유휴 상태로 이어졌다. 사람들이 실내에 머무르게 되면서 소비자 행동이 급변했고, 이는 소비 감소와 함께 체육관, 극장 등 다양한 사업체의 영업시간 제한 또는 폐업으로 나타났다. 자영업자들은 전례 없는 정부 정책으로 인해 큰 어려움을 겪었고, 이는 전 세계적인 폐업률 증가와 경기 침체로 이어졌다. 팬데믹은 광범위한 실직과 실업률 상승을 야기했으며, 신규 주택 판매 및 소매업 지표 등의 경제 지표들은 경기 둔화를 예고했다.

주식 시장의 급락과 예상되는 경기 침체에 대응하여, 정부와 중앙은행은 공격적인 금리 인하 정책을 채택했다. 기준금리를 0~0.25% 수준으로 낮추었음에도 불구하고, 시장은 하락세를 지속했다. 2020 년 3 월 20 일, 미국 연방준비제도(Federal Reserve)는 중대한 조치를 발표했다. "모든 수단을 동원하여" 시장을 부양하겠다는 의지를 밝혔고, 이에 따라 국채 5,000 억 달러와 모기지 담보증권(MBS) 2,000 억 달러 매입을 선언했다. 이는 단순한 금리 인하를 넘어서, 국채 매입을 통해 시장에 유동성을 대폭 주입하는 공격적인 조치였다. 연방준비제도의 이러한 긴급하고 공격적인 대응은 타격을 입고 비틀거리던 금융시장의 멱살을 잡아 일으켰다.

연방준비제도의 무제한 양적완화 조치가 옳았는지에 대한 논란이 있긴 하지만, 코로나 19 확진자 증가와 불안정한 경제 지표에도 불구하고 자산 시장은 빠르게 회복되었다. 2020 년 3 월의 저점을 기점으로, 시장은 V 자형 반등을 보이며 유동성에 힘입은 강세장으로 전환되었다. 나스닥 종합지수는

3개월 만에 제로 금리 환경과 비대면 시대의 수혜를 입은 MAGA(마이크로소프트, 아마존, 구글, 애플)를 중심으로 사상 최고치를 갱신했다. 나스닥 지수는 6,630 포인트의 저점에서 6개월 만에 12,000 포인트까지 거의 100% 상승했다. 이후 2년간 주식 시장은 전례 없는 호황을 누렸고, 기술 기업 및 고평가 된 섹터는 큰 폭의 성장을 경험했다. 이러한 '코로나바이러스 버블 강세장'에서 적극적으로 투자한 투자자들은 큰 수익을 얻었으며, 이는 투자의 황금 시대로 기록되었다.

이 책을 읽는 여러분 대부분은 코로나 팬데믹 기간 동안 주식 투자를 시작했거나, 적어도 주식 계좌는 개설했을 것이다. 코로나 버블 상승장에서 많은 투자자들이 상당한 수익을 경험했으며, 여러분 중 일부는 특히 높은 수익을 얻었을 지도 모른다. 그 시기는 많은 종목이 수익성을 보였던 황금기였다. 심지어 주식 계좌를 방치해 둔 경우라도, 크게 오른 수익률을 보며 뿌듯해했던 기억이 있을 것이다. 이 기간동안 주식 시장에 참여한 경험이 있다면, 분명 한 번쯤은 만족스러운 수익을 경험했을 것이다.

2-2. 코로나 뉴노멀

재택근무와 IT기업

2020년 초 코로나 바이러스의 본격적인 확산 직전, 평범한 하루를 보내며 오피스에서 근무하던 필자는 점심시간 즈음 인사팀으로부터 아래 제목의 이메일을 받았다.

<전사 재택근무 안내>

이메일은 코로나 상황이 안정될 때까지 무기한 재택근무를 도입한다는 내용이었다. 이 소식을 접한 나를 비롯한 대다수 직원들의 반응은 기대 반 불안감 반이었다. '과연 집에서의 근무가 효율적일까? 옆 부서와의 소통 없이도 업무가 원활히 이루어질까?'라는 실질적인 의문부터 '출퇴근 시간이 줄어 잠을 더 잘 수 있겠다'는 가벼운 생각까지, 다양한 걱정과 의문이 머릿속을 가득 채웠다. 인간은 다른 어떤 생명체보다 변화에 신속하게 적응하는 종이다. 이러한 능력을 바탕으로, 많은 사람들이 재택근무라는 새로운 근무 환경에 금세 적응했다. 처음 우려했던 커뮤니케이션 문제는 대부분 온라인 플랫폼을

통해 해결 가능했다. 소통에 있어 소폭의 지연과 불편함은 있었으나, 실시간에 가까운 의사소통이 이루어졌다. 저금리 정책이 시행되면서 대규모의 투자 자금이 전통 산업이 아닌 IT 부문으로 유입되었고, 위기를 기회로 전환한 다양한 스타트업들이 코로나 팬데믹 이후의 '뉴 노멀' 시대를 주도했다. 화상회의 소프트웨어 'Zoom'을 개발한 Zoom Video Communications는 구글, 마이크로소프트와 같은 전통적인 IT 강자들의 서비스를 능가하며 사용자 수에서 1위를 차지했다. 2019년 설립된 이 회사의 주가는 상장 당시 62달러에서 팬데믹 동안 560달러로 급등했다. 이는 완화적 금융 정책과 전례 없는 팬데믹 상황이 결합이 초래한 폭발적인 시너지 효과였다.

특히 재택근무를 가능하게 한 소프트웨어 서비스를 제공하는 IT 기업들은 눈에 띄게 성장했다. MAGA(미국의 주요 빅테크 기업)를 예로 들면, 코로나 사태 초기에 주가가 일시적으로 하락했으나, 이내 강한 회복세를 보이며 50%에서 최대 200%까지 상승했다. 이 기업들의 시가총액을 고려하면 막대한 자본이 이들에게 집중된 것이다. 그러나 금융 시장에서의 유동성 과잉이 다양한 자산 가격을 상승시키는 동안, 실물 경제는 큰 타격을 입었다. 글로벌 공급망의 장애로 인해 곳곳에서 병목 현상이 발생하며 물가가 급등했다. 원자재를 수출하는 국가들은 상대적으로 덜 피해를 봤지만, 원자재를 수입해 가공한 후 완제품을 수출하는 수출 주도형 국가들은 큰 타격을 입었다. 그 결과, 성장세가 둔화되어 2023년 말 현재까지도 회복의 기미를 보이지 않고 있다.

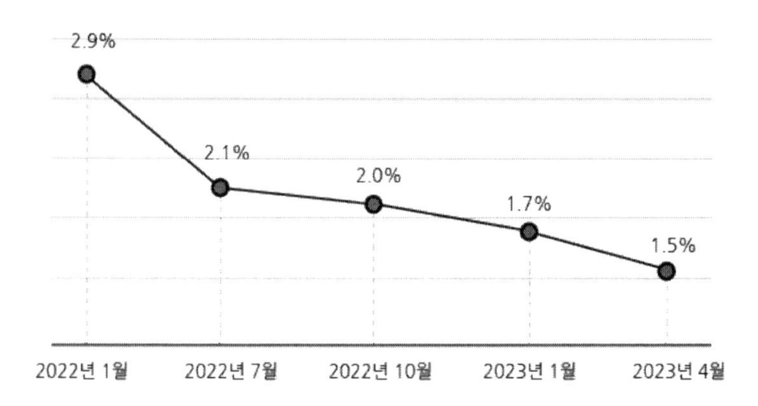

[한국 경제 성장률 전망 변화]

IT 기업이나 금융권은 투자금 유입과 대출 상품 판매로 큰 이익을 창출했다. 그러나 이러한 성과는 전체 한국 노동 인구 대비 소수에 불과했다. 금융 시장의 호황은 실물 경제까지 퍼지지 않았다. 명품 판매가 급증하고 골프가 젊은 세대 사이에서 새로운 취미로 자리 잡았지만, 한편으로는 코로나 방역 정책으로 인한 매출 감소로 정부의 대출 프로그램에 의존하며 하루하루를 버텨가는 자영업자들의 어려움이 계속해서 보도되었다. 코로나 사태가 점차 종식되어가는 현재도, 실물 경제의 회복은 더딘 편이다. 빚에 시달리는 자영업자와 실직자 수가 계속 증가하고 있는 상황은 여전히 우울한 전망을 보이고 있다.

한편, 배달 산업은 요식업계에서 의미 있는 비중을 차지하며 성장했다. '배달의 민족' 앱 서비스를 만든 김봉진 대표는 길거리에 버려진 전단지를 수집해 데이터베이스를 구축했다. 이러한 배달 서비스는 사람들이 외식을 포기하고 대신 배달을 선택함에 따라 그 자리를 차지했고, 예전에는 줄을 서서 먹어야 했던 다양한 식당의 음식들을 집에서 편하게 배달 받을 수 있게 되었다. 배달산업의 인력 수요 증가는 둔화된 취업 시장에

'라이더'라는 새로운 일자리를 창출했다. 더 나아가, 일부 식당은 좌석을 없애고 조리 후 바로 배달기사에게 음식을 넘기는 형태로 전환했다. 저렴한 임대료를 활용하여 가격 경쟁력을 강화하고, 전체 매출을 배달 서비스에 집중하는 전략을 채택한 것이다. 이러한 변화는 기존 중심 상권의 임대료 상승과 상가 공실율 증가라는 부작용을 낳기도 했다. 한쪽에서 바람이 불어 번창한다면, 다른 한쪽은 그로 인해 손해를 볼 수밖에 없는 것이다.

사람들이 집에 머무는 시간이 늘어나면서, 집에서도 야외 운동과 유사한 경험을 추구하는 수요가 증가했다. 이러한 니즈를 충족시키는 서비스가 등장했는데, 미국의 운동 장비 및 미디어 서비스 회사인 펠로톤이 대표적인 사례다. 펠로톤이 제공하는 인터넷 연결 실내 바이크는 사용자가 실시간으로 다른 이들과 운동하며 모니터를 통해 경험을 공유할 수 있게 해준다. 이러한 상호작용은 운동 데이터 비교 및 개인 기록 향상에도 도움을 준다. 펠로톤의 이러한 비즈니스 모델은 600만 명이 넘는 멤버를 확보하였고(기기 구매 및 월정액제 포함),

'피트니스계의 넷플릭스'라는 별명을 얻으며, 11조원의 기업 가치를 인정받아 나스닥에 상장하게 되었다.

넷플릭스를 필두로 한 스트리밍 서비스, 증강현실, 블록체인과 같은 분야들도 폭발적인 성장을 경험했으나, 이러한 서비스를 운영하는 대부분의 기업은 적자를 기록하고 있었다. 저금리 시대에는 즉각적인 매출보다 활성 사용자 수, 총 매출, 확장 가능성과 같은 다양한 KPI(핵심 성과 지표)가 더 매력적으로 여겨졌고, 투자자들 역시 미래 가치를 높게 평가할 수 있는 기업에 더 관심을 보였다. 이는 유동성의 강력한 영향력을 보여주는 예시라 하겠다. 많은 투자자들이 해당 기업들의 주가 상승에 의문을 표했지만, 이러한 회의적인 태도에도 불구하고 주가는 계속 상승했다. 그러나 이 유동성이 실물 경제에 미친 부정적인 영향을 고려할 때, 투자자들은 지속적으로 의심하고 경계하는 태도를 유지해야 했다.

빛과 그림자

상승세를 보이는 업종이 있는 반면, 큰 폭의 하락세를 겪는 업종도 있었다. 부동산 관련 증권에 투자하는 리츠(REITs), 항공업, 관광업이 대표적인 예시다. 저금리 시대에 경제가 성장하면서 상업용 부동산 투자는 매력적인 옵션으로 여겨졌다. 오피스 임대료에서 발생하는 높은 수익성으로 인해 투자자들을 유치하기 쉬웠지만, 재택근무 증가로 인한 오피스 공실률 급증이 이들에게 타격을 입혔다. 이로 인해 빌딩 소유자와 이들에게 투자한 대규모 투자자들이 손실을 겪었다. 코로나 팬데믹과 같은 예상치 못한 재해로 인해 이러한 섹터들의 매출과 주가는 크게 떨어졌다. 더욱이, 연방준비제도(FED)의 유동성은 앞서 언급한 테크 주식으로 흘러들어가, 이들 업종의 주가는 반등하지 못했다. 이는 주주들에게 지급되던 배당금 삭감 또는 중단으로 이어졌다.

이에 따라 부채 부담이 크고 현금 흐름이 원활하지 않은 소규모 기업들이 폐업하는 사례가 늘었다. 대표적인 예로, 미국의 크루즈 관광 기업 카니발 코퍼레이션은 코로나 팬데믹의 부정적인 영향을 크게 받은 기업 중 하나다. 코로나 방역 정책으로 인해 크루즈 운항 자체가 중단된 상황에서, 카니발은 약 1년간 채권 발행과 유상증자를 반복했다. 이 기업은 방역 정책이 언제 완화될지 모르는 불확실한 상태에서 고객들에게 크루즈 예약을 받았다. 그러나 방역 정책의 연장에 따라 고객들의 대규모 소송이 발생하고, 결국 카니발은 자사 소유의 일부 크루즈선을 경쟁사에 매각해야 했다. 이는 영구적인 매출 감소와 성장세 약화로 이어졌고, 코로나 백신 출시 후 일시적인 주가 상승에도 불구하고, 악화된 실적으로 인해 주가는 다시 하락했다. 현재 주가는 코로나 팬데믹 당시의 최저 수준에 머물러 있다.

이러한 양극화에 대한 언론의 보도는 상이했다. 한쪽에서는 투자 열풍을 조장했으며, 수익성이 낮은 기술 기업들을 집중적으로 다뤘다. 반면, 다른 쪽에서는 폐업 위기에 처한 소상공인들과 지속적으로 상승하는 물가에 초점을 맞췄다. 또한, 코로나 바이러스의 끝없는 확산을 과장하여 불안감을 조성하는 보도가 이어졌으며, 이를 기반으로 하여 2차 창작된 가짜뉴스도 무분별하게 퍼져 나갔다. 처음에는 스페인 독감을 예로 들어 곧 백신이 개발될 것이라는 낙관적인 예상이 많았지만, 시간이 지날수록 그러한 기대는 사라졌다. 백신 개발 진행 상황이 실시간으로 보도되어 금융 시장에 영향을 미쳤으나, 절망적인 분위기가 사회 전체에 드리웠다. 그리고 우리는 이러한 현상을 '뉴-노멀'이라고 표현했다. 그러나 그로부터 2-3년 뒤가 지난 다음, 우리가 표현했던 '뉴-노멀'은 한때의 굵고 짧은 유행에 불과했음을 깨닫게 되었다. "배달의 민족은 이제 옛날 얘기야, 배달 기사들의 수입이 크게 줄었어.", "펠로톤은 사업 모델을 바꿨지.", "우리 회사도 재택근무를 종료하고 줌 사용을 중단했어." 이렇게 영원할 것 같았던 팬데믹 특수는 끝나고 다시 우리는 '노멀'로 돌아왔다.

2-3. 나의 투자일지

투자의 시작

2020 년, 내 주변의 투자자들(20 대와 30 대 남성 대부분)은 주로 암호화폐에 투자하고 있었다. 대학 졸업 당시 4 만 원이었던 이더리움은 200 만 원까지 상승했고, 이러한 가격 변동에 많은 이들이 주목했다. 한 친구는 비트코인에 투자하다가 잘 알려지지 않은 암호화폐에도 손을 대어, 최종적으로 수억 원에 달하는 투자금을 잃었다. 주식 시장에서도 단순한 P/E 비율로는 설명하기 어려운, 미래 지향적인 기업들이 시장을 이끌었다. 정부는 배터리, 바이오, 인터넷, 게임(BBIG)을 유망 산업으로 분류하고 이를 적극적으로 지원했다. 이와 관련된 주식들은 급등했고, 대중들 사이에서 주식 투자에 대한 관심이 급증했다. 심지어 카페, 편의점, 서점 등 어디서나 주식에 대한 이야기가 넘쳐났다.

나는 2020 년 말에 주식 투자를 시작했다. 이미 코로나 관련 경제 호황이 한창일 때였다. 당시 필자는 주식에 크게 관심이 없었다. "주식으로 패가 망신한다", "수고로 번 돈이 진정한 가치가 있다"는 식의 전통적인 견해를 주변에서 자주 들었고, 스스로 판단하기에 자신의 본성이 상당히 보수적이었기 때문에, 일부러 도전적인 시도에 나서고 싶은 마음도 없었다. 그러나 주변에서 투자에 관한 대화가 끊임없이 이어지자, 나도 어느 정도 관심을 갖게 되었고, 가장 효율적인 방법으로 이 분야에 대한 지식을 얻기 위해 관련 서적을 찾아보기 시작했다.

투자에 대한 이해를 높이기 위해, 나는 교보문고 사이트서 투자 관련 카테고리에서 인기 있는 서적들을 몇 권 구매했다. 이 중에는 워런 버핏, 피터 린치, 레이 달리오와 같은 세계적으로 유명한 헤지 펀드 매니저들과 월스트리트의 전문가들의 저서도 포함되어 있었다. 그때는 돈을 벌기 위해서 라기보다는, 왜 많은 사람들이 주식에 열광하는지에 대한 순수한 궁금증이 더 강했다. 30세가 다 되어가고 코로나 버블이 시작된 지 1년이 지나도록 주식 계좌조차 만들지 않았다면, 내가 투자에 얼마나 무관심했는지를 독자 여러분은 이해할 수 있을 것이다. 구매한 책을 한 장 한 장 읽어보며 직접 투자를 시도해 보고 싶은 욕구를 느끼기 시작했다. 처음에는 고등학교 경제 과목을 공부하는 마음으로 시작했다. 애플, 어도비, 월마트와 같은 내게도 익숙한 몇몇 기업들이 책에 나오면서, 그들이 어떻게 비즈니스를 운영하여 성공을 거두었는지 알게 되었다. 이 회사들의 주식 가격 변화를 보면서, 더 일찍 투자하지 않은 것에 대한 아쉬움과 함께 화가 났다. 오랫동안 사용해온 제품의 회사 주식이었는데 왜 더 일찍 사지 않았을까 하는 생각이 들었다.

책만 보면 투자를 하지 않는 것이 바보였다. 우량한 대기업의 주식을 구입하고, 일상에 집중한 후 몇 년이 지나 계좌를 확인하면 자본이 증가해 있을 텐데 말이다. 대학 새내기 시절 사용하던 디자인 소프트웨어를 만드는 IT 업기의는주가 이미 배 이상 올라있었다. 또 즐겨 플레이했던 게임 회사의 주식도 3 배 가량 올라 있었다. 당시에 용돈을 모아 100 만 원을 투자했더라면… 하는 생각이 들며, 이제부터라도 주식을 구입해보자는 결심을 했다. 복잡한 재무제표를 분석할 줄 몰라도, 글로벌 자본의 흐름을 이해하지 못해도, 유명한 기업의 주식만을 선택하면 충분하리라 생각했다. 그렇게 첫 월급을 받은 이후, 몇 년간 은행 계좌에서 잠자고 있던 자금을 주식 투자 계좌로 옮기기 시작했다.

주식 계좌를 개설한 후, 매수할 종목을 탐색하기 시작했다. 하지만 실제로 투자를 시작하려고 하니, 내가 열심히 모은 돈을 투자한다고 생각하니, 이미 많이 상승한 인기 있는 기술 기업 주식들은 매수가 망설여졌다. 물론, 차트는 과거의 데이터일 뿐이며, 기업이 어떻게 성장해왔고 어떤 비전을 가지고 있는지에 따라 현재 가격이 실제로는 가장 저렴할 수도 있다. 인기 있는 주식에 투자하는 것이 일반적으로 높은 수익률을 가져올 가능성이 크다는 사실도 알고 있다. 하지만 그 당시에는 1년 만에 두 배로 상승한 주식을 매수하는 것이 너무 위험해 보였고, 결과적으로 아직 주목받지 않은 저평가 주식을 찾기 시작했다.

뭘 사야하지?

사실 IT 회사에 근무하고 있는 필자는 팬데믹 상황에서 간접적인 혜택을 받았다. 저금리 정책으로 많은 자본이 IT 분야로 유입되면서, 단순히 아이디어에 불과했던 프로젝트들이 현실화되기 시작했다. 이로 인해 수많은 스타트업들이 생겨나고 관련 인력에 대한 수요가 급증했다. 특히 개발자와 같은 IT 전문가들의 연봉은 대폭 상승했으며, 이는 넥슨, 네이버 등 주요 기업들의 급여 인상 및 복지 혜택 확대 뉴스에서도 확인할 수 있었다. 자영업자들이 어려움을 겪고, 상가 공실율이 증가하며, 출산율이 낮아지는 등의 실물경제와 대조적으로, IT 업계는 2000년 닷컴 버블 이후 최대의 호황을 누렸다. 곳곳에서 자율주행, 블록체인, 원격근무, 메타버스에 대한 논의가 활발했으며, 연봉 상승, 스톡옵션 혜택 등의 소식이 뉴스와 온라인 커뮤니티를 장식했다. '네카라쿠배'와 같은 신조어도 탄생했다. 나는 의도하지 않았음에도 불구하고, 팬데믹 시대의 주목받는 산업의 일원이 되었다.

일반적으로 전문가들은 자신이 가장 잘 아는 산업에 투자하라고 권한다. 그러나 나는 내가 속한 산업에 투자하는 것이 망설여졌다. 수익을 내지 못하는 회사들의 주가가 지나치게 상승하고, 현실적이지 않은 우주 여행 프로젝트 등이 과대평가되는 것을 보며 납득하기 어려웠다. 언론과 미디어가 이러한 저금리 시대의 꿈과 낭만이 넘쳐나는 유행을 마치 영원할 것처럼 보도하는 것에도 의구심을 가졌다. 그래서 필자는 코로나로 큰 타격을 입은 산업에 투자하는 것을 고려했다. 이는 투자에 대한 지식이 부족했기 때문에 가능한 생각이었다. 지금 돌이켜보면, 다시 당시로 돌아간다면 다른 선택을 했을지도 모른다. 하지만 다행히 나의 첫 투자금액은 생활비를 제외한 첫 월급에서 나온 200만원이 전부였으므로, 선택이 잘못되었다 해도 큰 손실은 아니었다. 하지만 처음 자전거를 타며 균형을 잡는 것이 어려운 것처럼, 나에게 첫 투자는 인생에서 매우 중대한 도전이자 모험이었다.

코로나 팬데믹으로 가장 큰 타격을 받은 산업을 찾는 것은 어렵지 않았다. 뉴스에서 연일 관련 보도가 나왔기 때문이다. 부동산, 특히 사무실 임대업의 상황은 매우 좋지 않았고, 관광업계 역시 비슷한 어려움을 겪고 있었다.

미국 사무실 공실률 추이

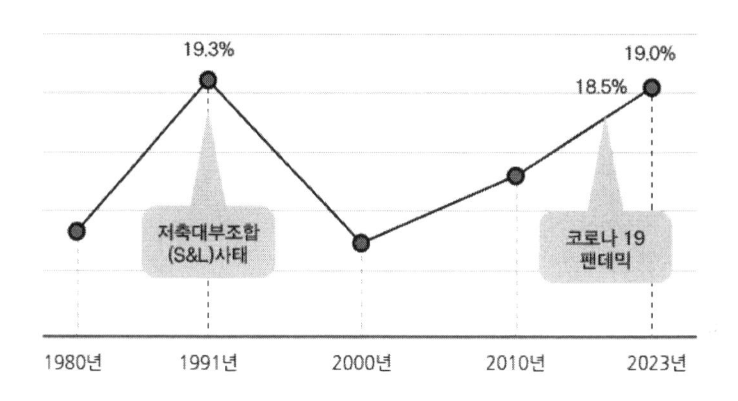

이러한 부진은 단순한 유행의 변화나 산업 자체의 구조적 문제 때문이 아니었다. 명백히 코로나 팬데믹에 따른 정부의 방역 정책이 주된 원인이었다. 거기에 저금리로 인해 생긴 유동성 대부분이 온라인 산업으로 이동했고, 그 결과 매출 하락과 투자 부족이라는 두 가지 악재가 한 번에 덮친 오프라인 산업은 심각한 위기에 직면하게 되었다. 대부분의 사람들이 오프라인 산업의 부진과 관련 주식의 과도한 하락을 인식하고 있었다. 재무제표를 면밀히 분석하고 실적 발표 자료를 검토하면, 실제로 망할 위기에 처한 기업과 그렇지 않은 기업을 분명히 구분할 수 있었다. 그럼에도 불구하고, 섹터 전체에 대한 공포감이 퍼지면, 큰 자본을 운용하는 헤지 펀드와 투자 회사들은 일정한 손실을 감수 하고라도 해당 산업에서 자금을 회수하는 경향이 있다.

코로나 팬데믹 기간 동안 내가 열심히 모은 돈을 위험한 리스크 높은 산업군에 투자한다는 것은 쉬운 결정이 아니었다. 그런 소외 산업군은 연일 부정적인 뉴스와 불확실한 미래에 대한 우려로 도배된다. 영화 '빅 쇼트'에서 마이클 버리가 공매도를 단행했을 때 투자자들로부터 받은 수많은 항의 메일을 생각하면, 전망이 불확실한 섹터에 투자하는 것이 얼마나 위험하고 힘든 일인지 알 수 있다. 하지만 개인 투자자는 마이클 버리와는 상황이 약간 다르다. 단기적인 수익률에 대한 압박이 없으므로 장기적인 관점에서 악재가 해소될 때까지 기다릴 수 있다. 과도한 레버리지나 만기일이 정해진 파생상품 투자를 피한다면, 시간은 투자자의 편이 될 수 있다. 이러한 이유로, 나는 부동산과 오프라인 산업에 대한 투자를 결심했다. 내 결정의 근거는 두 가지였다:

1. 악재가 분명하고 명확하다.

2. 긍정적인 전망을 가진 사람이 거의 없다.

코로나 팬데믹 시기의 투자 전략은 이전과는 달랐다. 팬데믹이 언제 종식될지에 대한 불확실성이 큰 영향을 미쳤다. 당시에는 금융 흐름이 기업보다는 섹터별로 움직였고, 관련 대형 주도주가 흐름을 이끌면서 관련된 작은 기업들의 주가도 동반 상승하는 경향이 있었다. 이러한 현상은 2020 년과 2021 년을 거치며 지속되었다.

나만 그렇게 생각한 게 아니었어

코로나 팬데믹 기간에 폭락한 섹터의 주식을 저렴하게 매수하려는 이들은 필자만이 아니었다. 이미 소외 섹터 투자 전략은 이미 많은 사람들이 고려하고 있는 아이디어였다. 온라인을 통해 쉽게 알 수 있듯이, 많은 투자자들이 하락한 섹터의 주식을 매수하고 있었다. 그러나 팬데믹 직후 폭락한 오피스 부동산(리츠)과 오프라인 관련 업종은 적지 않은 사람들의 관심에도 주가를 회복하지 못했다. 매출 감소로 인해 이들 기업의 실적이 크게 하락했고, 이는 주가 하락으로 이어지는 악순환을 만들었다. 매일 증가하는 사망자 수가 뉴스를 장식하고, 인류가 오랫동안 경험하지 못한 새로운 바이러스의 위협은 사람들의 두려움을 증폭시켰다. 이로 인해 부채가 많은 소규모 기업들이 실제로 파산하기 시작했고, 관련 산업의 주가는 상장폐지 가능성까지 반영하며 계속 하락했다. 가격이 내러티브를 만든 것이다.

모든 섹터의 주가가 하락했다면 상황이 달랐을 테지만, IT 기업과 암호화폐의 주가가 연일 신고가를 갱신하는 상황에서 많은 투자자들이 저점 매수를 주저하기 시작했다. 끝이 보이지 않는 섹터에 투자해 기회비용을 낭비하는 대신, 이미 성장하고 있는 분야에 투자하기로 결정한 것이다. 결국 1년 뒤, 유동성이 말라붙어 주가가 신저점 근처에서 횡보하는 '죽은' 섹터가 되었을 때 내가 투자를 고려했던 것이다(당시에는 이 상황을 제대로 인식하지 못했다). 하지만 그로부터 약 3개월 뒤 백신 개발 소식이 발표되었으니, 생각해보면 필자의 매수 타이밍은 상당히 좋았다고 하겠다. 당시 투자 경험을 통해 배운 중요한 교훈은, 뉴스는 자극적인 내용을 선호하며, 사람들은 자신의 이익이 걸린 문제에 대해 인내심이 부족하다는 것이다. 이러한 사실은 앞으로 헤쳐 나갈 긴 투자 여정에서 아주 중요하고 쓸모 있는 교훈이 되었다.

시간이 흐르면서 코로나 감염자 수의 증가세는 서서히 둔화되고 있었지만, 그 동안 소외 섹터의 주가는 여전히 움직임이 없었다. 투자 자금이 유입되지 않아 해당 섹터의 활력이 떨어졌기 때문이다. 나는 오랜 시간 동안 고민 끝에, 몇 년 후에 코로나가 종식될 것이라는 전망에 배팅하기로 결정했다. 학창 시절부터 역사에 큰 관심을 가진 나는 다양한 역사 서적을 읽고 역사적 사실을 여러 각도에서 분석하는 논문과 기사를 탐색했다. 역사는 일정한 변주를 거치며 큰 틀에서 반복된다는 것을 깨달은 나는, 역사의 반복 가능성이 더 높다고 판단했고, 이에 따라 나는 에너지 섹터에 투자하기로 결정했다.

많은 조사 끝에, 캐나다에 본사를 둔 뉴욕 증권거래소에 상장된 석유 시추 회사인 '오빈티브(티커 : OVV)'에 투자하기로 결정했다. 당연하게도 오랜기간 횡보하던 주식이 갑자기 필자가 매수했다고 오를 리 없다. 투자 후의 시간은 지루한 기다림의 연속이었다. 가장 어려웠던 점은 내가 투자한 섹터와 종목에 대한 긍정적인 소식을 어디에서도 찾을 수 없었다는 것이다. 사람들은 대체로 다수의 의견을 따르는 경향이 있으며, 소수 의견을 가진 사람은 이를 견디기 어렵다. 이는 오랜 수렵 시대부터 이어진 본능적 현상이지만, 주식 시장에서 '미스터 마켓'에 맞서 점수를 얻으려는 개인 투자자에게는 큰 약점이 될 수 있다. 남들이 부정적으로 생각하는 회사의 주가가 좋을 가능성은 낮다. 결국 주가가 상승하기 위해서는, 내가 투자한 회사와 섹터에 대한 긍정적 인식이 형성되어야 하며, 이를 위해서는 반박할 수 없는 객관적 데이터나 강력한 호재가 필요하다.

내가 기다리던 큰 호재는 백신 승인 뉴스였다. 이미 전 세계 여러 제약사들이 백신 개발에 매진하고 있었다. 하지만 백신이 정확히 언제 승인될지 예측하기 어려웠으며, 코로나 바이러스의 강한 전염성 때문에 전통적인 방식과는 다른 접근이 필요했다. 백신 개발이 지연될 때마다, 많은 전문가들이 매체에 나와 부정적인 전망을 내놓았다. 일부는 백신 개발이 불가능하다고 주장하며 자연 면역을 기다려야 한다고 말했다. 하지만 냉정하게 생각해보면, 막대한 자원과 인력이 투입된 백신 개발은 결국 시간 문제였다. 그러나 자신의 돈을 투자한 상태에서는 이러한 사실을 객관적으로 바라보기 어려웠다. 다른 주식들이 오르는 동안 내 주식만 정체되어 있는 것을 지켜보는 것은, 엄청난 확신과 자제력을 요구하는 일이었다.

석유 에너지와 관광 섹터 주식을 매수한 후에도 약 2달 동안 20% 이상 추가 하락했다. 이러한 섹터 전체의 가치 하락은 나에게 큰 스트레스를 안겼고, 밤에 잠을 제대로 이루지 못하는 날이 많았다. 섹터 전체의 가치가 20%나 하락했으니, 개별 주식의 가격 하락은 더욱 심각했다. 평소 예금 계좌에 돈을 안전하게 보관하던 사람이 갑작스럽게 금전적 손실을 목격하게 되니, 경제적 손실 이외에도 불면증과 스트레스가 뒤따랐다. 이 모든 상황이 진행되는 동안에도 뉴스에서는 백신 개발의 승인이 먼 미래의 일처럼 보이고, 전 세계적인 경기 침체에 대한 우려가 지속되었다.

백신 뉴스

행운이 따랐다. 당시 미국 대통령인 트럼프는 2021년 1월까지 3억 도스의 백신을 개발하는 것을 목표로 하는 OWS(Operation Warp Speed) 작전을 발표했다. 이 목표를 달성하기 위해 정부는 모든 행정 자원을 동원했으며, 기존의 백신 개발 속도보다 훨씬 빠르게 진행됐다. 마침내 백신 접종이 승인되고, 화이자와 모더나의 mRNA 백신이 접종되기 시작하면서 코로나 확진자 수가 현저히 감소하면서 점차 봉쇄가 해제되어 경제가 회복 국면에 접어들었다. 2021년 1분기 미국의 GDP는 6% 증가했고, 고용 지표도 개선되었다. 백신 개발 뉴스가 전해진 직후, 시장은 어떻게 반응했을까? 그때 나는 편의점에서 맥주를 구매하고 있었다. 결제하려는 순간, 증권사와 뉴스 앱에서 알림이 폭주했다. 이 호재가 전해지자 부동산 임대업 섹터와 석유 섹터의 주식 가격은 순식간에 20-30% 상승했다. 하락폭이 컸던 만큼, 이 섹터들의 거래량과 상승세는 수 십년 만에 최대였다고 한다.

21세기 주식 시장에서 뉴스로 인한 자산 가격의 급격한 상승과 하락은 주로 프로그램 매매에 의해 발생한다. 현대의 주식 거래에서 대부분을 차지하는 거래량은 주로 대형 금융기관과 헤지 펀드들의 자동 매매 프로그램에 의한 것이다. 이러한 프로그램들은 몇 초 만에 특정 섹터의 ETF 가격을 10% 이상 올릴 수 있는 강력한 영향력을 지니고 있다. 재미있는 점은 이러한 가격 변동에도 불구하고 기업의 실질적인 실적에는 큰 변화가 없었다는 것이다. 이 날의 상승 이후 약 1년 동안, 코로나 백신 관련 뉴스에 따른 기대와 실망이 내가 투자한 섹터의 주가 상승과 하락을 좌우했다. 실제 기업 실적보다는 단기적인 시장 감정에 의해 움직이는, 뉴스에 의존하는 이상한 형태의 주가 변동이 반복되었다. 당연히 백신 개발이 기업 실적 개선을 의미하는 것은 아니다. 백신 개발 후에도 각국의 백신 정책 차이와 공급 부족 문제가 계속되었다. 이러한 상황은 시간이 해결해 줄 문제이지만, 주식 시장에서는 그 사이에도 주가가 천국과 지옥을 오가는 듯한 변동성을 보였다. 유동성에 힘입어 단기간에 급등했던 주가는 점차 다시 하락하여 박스권에서 움직였고, 이 기간 동안 내가 투자한 종목은 다른 자산들의 가격 상승을 지켜보면서 언젠가 적정 가치를 인정받고 상승할 것이라는 믿음을 가져야만 했다.

“모두가 악재에 시선이 고정되어 있으면 그것은 더이상 악재가 아니다. 더 이상 중요하지 않다는 말이다.”

“역발상 투자자는 인내심이 있어 장기적으로 생각한다. 단기적 사고에 빠지면 불안해져 잘못된 결정을 내리기 때문이다.”

-켄 피셔, ‘역발상 주식투자’ 중-

기쁨도 잠시… 델타 변이의 출현

백신 개발 소식이 전해진 후 단기간에 급 반등했던 주가는 다시 박스권에서 움직이기 시작했지만, 이 뉴스는 전 세계투자자들의 관심을 끌었고 코로나 바이러스 퇴치에 대한 희망을 심어주었다. 증권사와 경제 뉴스에서도 백신 개발로 인한 코로나 바이러스 확산의 감소와 그에 따라 상승할 것으로 예상되는 섹터 및 종목에 대한 리포트가 점차 등장하기 시작했다. 가격 상승을 위해서는 거래가 이루어져야 한다는 것은 당연하지만, 이를 위해서는 내가 제시한 가격에 주식을 사 줄 '매수자'가 필요하다. 이를 위해 헤지 펀드의 매매 프로그램, 개인 투자자, 기관 투자자들의 관심을 끌어야 한다. 특히 소외된 섹터에 대해서는 더욱 강력한 호재가 필요하며, 코로나 팬데믹 상황에서는 '백신'이 바로 그러한 강력한 호재였다.

백신 뉴스의 영향으로 많은 자금이 소외된 섹터로 유입되면서, 내가 투자한 개별 종목들은 상당한 수익을 보았다. 특히, 리츠 주식들은 저점 대비 20-30% 상승했고, 더 높은 상승 잠재력을 가진 다른 섹터의 소형주들은 최소 50%에서 최대 200%까지 상승하는 경우도 있었다. 만약 투자한 섹터와 종목에 확신이 있다면, 가격이 오를 때까지 차분히 분할 매수하여 보유 수량을 늘리는 전략이 유효하다. 하지만 주식 투자에 처음 입문한 나는 조급함에 첫 매수에 너무 많은 비중을 두었고(보유 현금의 80% 가량), 이후 추가적인 가격 하락 시 매수할 현금이 부족한 상황에 처하게 되었다.

주가가 예상보다 급격하게 상승하자, 나는 신용대출을 받아 추격 매수하는 실수를 저질렀다. 만약 추격 매수를 할 계획이었다면, 이를 좀 더 일찍 실행했어야 했다. 그렇지 않으면, 단기간에 크게 상승한 주가에 욕심을 부리지 말고, 조정을 거친 후 다음 상승세를 기다리는 것이 올바른 접근이었다. '설거지'라는 용어가 있다. 이는 늦게 도착한 사람들이 진수성찬을 제대로 즐기지 못하고 식사가 끝난 후 빈 식기를 치우는 상황에 빗대어 사용되는 말이다. 처음에 투자한 사람들은 이미 좋은 수익을 얻고 유유히 떠났을 것이다.

그런데 백신 접종이 시작된 후 얼마 지나지 않아, 델타 변이 바이러스에 대한 뉴스가 확산되기 시작했다. 이 변이는 2020년 말 인도에서 처음 발견되었으며, 강력한 전염력으로 빠르게 퍼져 나갔다. 당시 델타 변이의 등장에 대해, 처음 코로나 바이러스 확산 때의 충격과 비교하면 크게 걱정하지 않았던 나는 예상치 못한 주가 하락에 당황했다. 이미 한 번 경험한 바이러스의 변종인데도 불구하고 왜 이렇게 급격한 주가 하락이 일어나는지 의아했다. 더욱이 내가 투자한 섹터의 주가는 하락하는 반면, 빅테크 주식은 오히려 상승세를 보였다. 특히 흥미로웠던 점은, 주가 조정을 기다리며 매수할 기회를 엿보던 많은 투자자들이 실제로 주가가 크게 하락하자 매수를 주저했다는 것이다. 심지어 이 하락은 이전과 동일한 악재로 인한 것임에도 불구하고, 많은 사람들이 하락장에서의 매수를 두려워한 것이다.

남들이 NO 라고 할 때

미디어는 연일 부정적인 뉴스를 보도하기 시작했다. 질병 전문가의 인터뷰, 백신 부작용 보고, 코로나 봉쇄 정책 강화와 같은 내용들이 포함되었다. 경제 지표들도 여전히 좋지 않았다. 소비자 신뢰 지수가 계속해서 하락했고, 생산성 지표 역시 떨어졌으며, 세계 주요 항구에서는 인력 부족으로 인한 물류 병목 현상이 발생했다. 이러한 연속된 뉴스들은 투자자들에게 불안감을 조성했고, 이는 주식 시장에도 부정적인 영향을 미쳤다.

"길 가던 사람 3명이 하늘을 쳐다보면 다른 사람들도 궁금증에 하늘을 쳐다보게 된다"는 말처럼, 미디어에서 지속적으로 보도되는 델타 변이에 대한 공포감은 투자자들의 마음을 흔들었다. 1년 전에 비슷한 상황을 경험했음에도 불구하고, 참을성 있게 버티던 사람들마저 점차 시장에서 철수하기 시작했다.

이런 부분이 개인 투자자가 주식 투자에서 어려움을 겪는 주된 이유 중 하나이다. 다수와 반대되는 행동을 해본 경험이 없는 사람들이 갑자기 다수의 의견에 반하는 포지션을 취하고, 손실을 감수하며 버티는 것이 매우 생소하고 어려운 경험이기 때문이다. 이런 경험을 통해 필자는 뉴스에 대한 의심과 정보의 교차 검증이라는 중요한 습관을 기르게 되었다. 한편 다른 섹터의 상승도 일관된 투자를 하는 데에 어려움을 주는 요인이었다. 특히 델타 변이의 출현으로 경기 침체가 지속될 것이라는 전망과 이에 따른 금리 인하 가능성은 IT 기술 섹터의 지속적인 상승을 견인했다. 이러한 상황에서 에너지 섹터에 투자한 투자자들은 시장에서 소외감을 느낄 수밖에 없었다.

모두가 몇 달 동안 부정적인 소식만 전하니 나조차도 보유했던 주식을 매도해야 하는 건가 고민했다. 그러나 객관적으로 생각했을 때, 이미 가능한 모든 악재가 나온 상태라고 판단하고 조금 더 기다려 보기로 했다. 투자 경험이 더 풍부했다면, 아마 하락 직후에 매도하여 수익을 지키고 다른 상승 추세 종목으로 옮겼을지도 모른다. 상승 추세 종목을 따라가는 것이 바닥에서 매수하는 것보다 수익률이 좋을 수 있지만, 더 중요한 것은 투자 근거의 변화 여부를 확인하고 자신만의 매매 규칙을 지키는 것이다. 투자에는 정답이 없다.

몇 달 뒤 델타 변이에 대한 백신 개발 소식이 나오자 이전의 하락세를 몇 일 만에 모두 회복했다. 이전 백신 뉴스에서 배운 것처럼, 백신은 매우 강력한 호재이며 큰 자본을 가진 투자자들은 개인 투자자들이 미처 반응하기 전에 가격을 끌어올린다. 반대 상황에서도 마찬가지이다. 결국 델타 변이 백신 뉴스의 수혜자는 몇달간의 하락을 견디며 지속적으로 매수한 소수의 투자자들이었다. 만약 내가 버텨내지 못하고 손절 했다면, 가격이 반등했을 때 추격 매수하며 추가 손실을 볼 수도 있었다. 특히 내가 잘 알고 있는 해당 섹터의 상승분의 수익을 누리지 못했다면 그것은 더욱 억울한 일이었을 것이다.

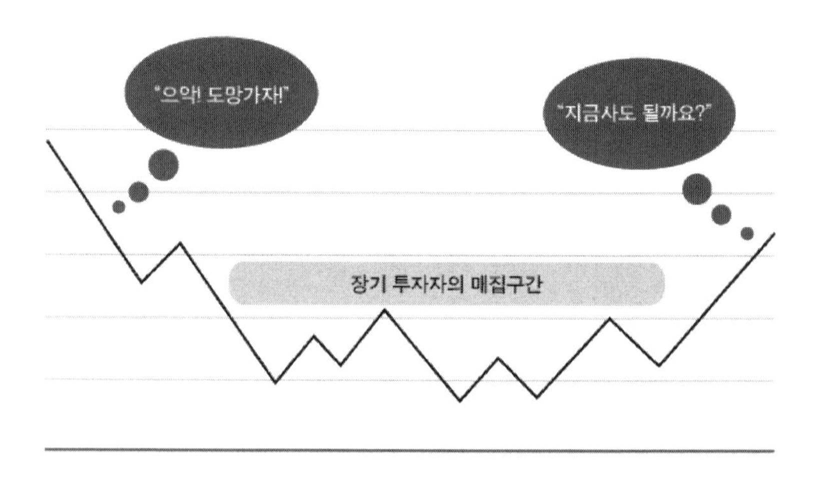

공포는 이성을 마비시킨다

흥미로운 점은 많은 사람들이 변이 바이러스에 대한 백신 개발 가능성을 예측했다는 것이다. 그럼에도 불구하고, 많은 사람들이 적극적으로 매수에 나서지 못한 이유는 간단하다. 미디어가 불러일으킨 공포와 주가의 급락 때문이었다. 여기서 언급되는 '미디어'는 뉴스뿐만 아니라, 지인과의 대화, 단체

그룹 메신저, SNS 등 우리가 일상에서 사용하는 모든 커뮤니케이션 채널을 포함한다. 팬데믹이 대화의 주제가 되는 순간, 사람들은 주로 코로나 감염 사례, 백신 부작용, 변이 바이러스의 전염성 등에 대해 이야기한다. 이런 대화 중에 "결국 상황은 좋아질 거니까 나는 엔데믹 수혜주에 투자하고 있어."라고 말하면, 대부분의 사람들은 냉정하거나 비현실적인 주식쟁이라고 여길 것이다.

게다가, 델타 변이 감염자 수의 증가세가 꺾이는 것이 반드시 내가 매수한 종목의 가격 상승을 의미하지는 않는다. 백신 발표 시 상승한 주가는 미리 예상되는 긍정적인 실적을 선반영한 것이었다. 따라서 투자 환경이 개선되더라도 실제 주가가 언제, 어느 정도로 그 영향을 반영할지는 예측하기 어렵다. 주변에서 끊임없이 우울한 소식과 부정적인 전망을 듣게 되면, 처음 투자한 이유에 변함이 없음에도 불구하고 매도 버튼을 누르게 되는 경우가 있다. 마치 즐거운 주말은 순식간에 지나가고, 평일 업무 시간이 끝없이 느리게 느껴지는 것처럼, 투자에서도 수익을 내며 기쁠 때 느끼는 시간보다는 손실을 보며 괴로워할 때 느끼는 시간이 훨씬 느리게 흐른다.

실제로 주변에서 주식 투자로 인해 수면 장애를 겪거나 스트레스를 받는 사람들을 많이 목격했다. 함께 투자했던 지인들 대부분 지속적인 시장의 부침을 견디지 못하고 결국 주식을 처분했고, 변동성이 큰 밈 주식과 같은 투자에 뛰어들었다. 결과는 불을 보듯 뻔하다. 일시적으로 큰 수익을 얻은 경우도 있었지만, 시간이 지나면서 손실이 늘어나 결국 대다수가 주식 투자를 포기했다. 그러나 나는 이런 어려움을 극복하고 결국 이익을 얻을 수 있었다. 이는 단순히 버틴 것이 아니라, 적극적으로 스트레스 관리를 하기 위해 애썼기 때문이다. 예를 들어 집 밖으로 나가 산책을 하거나, 주말마다 친구들을 만나거나, 할인할 때 구입해 둔 게임을 밤새 즐기는 등의 활동을 통해 마음의 여유를 찾기 위해 노력했다.

델타 변이로 인해 하락한 주식과 단기간 유동성으로 상승한 뒤 하락한 밈 주식(온라인 상에서 입소문을 타 개인투자자들이 관심을 갖고 거래하는 주식. 일반적으로 급등락이 심한 소형 주식인 경우가 많다)은 장기간 보유했을 때의 수익률이 극명하게 달라진다. 델타 변이로 하락한 주식은 팬데믹 종료 후에 부채를 차근차근 갚아가며 실적으로 주가 상승을 증명했고, 많은 기업들이 팬데믹 이전의 가격을 회복했다. 반면, 밈 주식은 차트 상에서 거대한 산봉우리를 만들고 난 후에 80-90% 하락한 가격에서 지속적으로 횡보하고 있다. 이러한 결과 차이의 근본적인 원인은 무엇일까? 매수한 이유를 정확히 이해하고 있는지 여부이다. 밈 주식은 많은 사람들이 차익 실현을 목적으로 단기적으로 거래하는 것이 주된 특징이다. 대부분의 투자자들은 비현실적인 가격 상승을 인지하면서도, 자신만이 수익을 보고 빠져나갈 수 있을 것이라는 착각에 빠져 투자한다. 하지만 유동성이 줄어들고 금리가 상승하면서 이러한 가격을 지탱해주던 자본이 빠져나가는 것이다. 반면, 델타 변이로 인한 주식 하락은 그 원인이 명확했다. 팬데믹으로 인한 경제 활동 제한과 불확실성이 주가 하락의 주요 이유였기 때문에, 이러한 상황이 개선되면서 해당 주식들은 점차 회복할 수 있었다.

비록 주가가 하락했고 많은 사람들이 코로나 팬데믹이 지속될 것이라고 예상했지만, 일부 사람들은 스스로 바이러스는 극복되고 물리 코로나 이전으로 매수한 기업의 실적이 회복될 것이라고 믿었다. 물론 팬데믹이 영원히 지속될 가능성도 있었지만, 투자자로서는 객관적으로 더 높은 확률에 베팅하는 것이 인지상정이다. 비록 얼마나 오래 버텨야 할지 알 수 없었지만, 이러한 어려움을 극복하고 나면 다음 베팅에서의 승률은 훨씬 더 높아질 것이라고 믿었다. 완벽한 투자는 아니었을지라도, 한 번의 성공적인 버티기는 다음 투자의 성공 확률을 높이는 귀중한 경험이 될 것이다.

공포를 퍼뜨리는 미디어

미디어가 공포를 자극하는 기사를 보도하는 이유는 주식 시장에 영향을 주려는 의도나 편파적인 정치적 신념 때문이 아니다. 그들이 이러한 기사를 보도하는 주된 이유는 더 높은 조회수와 그에 따른 수익을 얻기 위해서다. 특히 트위터나 페이스북과 같은 소셜 미디어는 확인되지 않은 정보를 재편집하여 다양한 형태의 콘텐츠로 제작하고 퍼뜨리는 데 뛰어나다. 디지털 시대에서 SNS를 통한 정보 전달은 놀라운 속도로 이루어진다. 이 과정에서 미디어와 SNS는 사람들의 불안감을 자극하는 내용을 선호한다. 조회수가 수익으로 직결되는 현 시대의 디지털 컨텐츠 시장에서 공포를 주제로 한 콘텐츠의 생산은 더욱 활발해진다. 연구에 따르면 사람들은 타인의 불행에 더 큰 관심을 가지는 경향이 있다. 예를 들어, 익명의 기부자가 1 억원을 한부모 가정에 기부했다는 긍정적인 뉴스와 공공장소에서 발생한 칼부림 사건에 대한 충격적인 뉴스 중, 대다수의 사람들은 후자에 더 많은 관심을 보인다.

코로나 팬데믹 기간 동안 특히 문제가 되었던 가짜뉴스 이슈도 이러한 맥락과 연결되어 있다. 사실과 거짓이 혼합된 텍스트와 조작된 이미지를 사용하여 영향력 있는 인플루언서들이 주장을 펼치는 경우, 대중이 이를 진실인지 거짓인지 판별하기란 매우 어렵다. 조회수와 클릭수가 수익과 직결되는 시대에, 정보의 진위 여부는 대중에게 그다지 중요하지 않다. 시간이 지나 정정 보도가 나오더라도, 그때는 이미 너무 늦은 경우가 많다. 이러한 문제를 해결하기 위해 미국에서는 SNS 에서 가짜뉴스를 게시하는 사용자에 대한 처벌 뿐만 아니라, 이러한 게시물을 필터링하지 않는 기업들에 대한 법적 제재를 도입했다.
유럽에서는 여러 국가와 언론사들이 협력하여 가짜뉴스에

대응하는 팩트 체크 태스크포스(TF)를 발족했지만, 가짜뉴스의 빠른 전파 속도를 막기에는 역부족이었다.

변이 바이러스에 대응하는 백신이 승인된 후 몇 달이 지나면서, 세계 각국의 정부는 추가 백신 접종을 시작했다. 이 과정에서 백신의 안정성과 대형 제약회사에 대한 특혜 논란 같은 부정적인 이슈들이 제기되기도 했지만, 시간이 흐르면서 백신의 효과가 점차 나타나기 시작했다. 이에 따라 확진자 수와 중환자 수는 다시 감소 추세를 보였다. 얼마 지나지 않아 언론은 여러 변이에 대응할 수 있는 mRNA 백신의 개발 소식을 전하며 코로나가 곧 극복될 것이라는 낙관적인 보도를 시작했다. 이때 주식 시장은 이미 델타 변이로 인한 하락분을 대부분 회복한 상태였다. 이후 오미크론과 같은 추가 변이에 대한 뉴스가 나왔지만, 시장은 이미 같은 패턴에 익숙해져 있어 더 이상 크게 반응하지 않았다. 시장은 같은 유형의 기회를 세 번 반복해서 제공하지 않는다는 교훈을 보여주었다.

당신이 합리적인 근거로 매수한 종목이 장기간 횡보하고 있다면, 매수 후 단기간의 주가 변동을 지나치게 신경 쓰지 않는 것이 좋다. 특히 주가가 하락 후에 상승세를 보이지 못하는 경우, 주가를 상승시킬 만큼의 유동성이 부족한 상황일 가능성이 높다. 이러한 경우에는 작은 악재에도 주가가 반등하지 못하고 지루한 하락세가 지속될 수 있다. 시간이 흐를수록 자신의 투자 결정에 대한 확신이 약해지고, 뉴스나 미디어의 부정적인 보도에 영향을 받기 쉽다. 이럴 때 중요한 것은 처음 매수했던 근거와 이유를 되새기며 인내심을 유지하는 것이다.

소외 섹터의 반격

백신 소식으로 인한 유동성 증가가 유가 상승과 에너지 섹터에 활력을 불어넣었다. 에너지 주식, 특히 석유 관련 주식은 시장 변동성에 영향을 받지만, 석유와 천연가스 가격에도 크게 의존한다. 한국과 달리 미국의 에너지 기업들은 주로 원유 탐사 및 생산에 집중하는 업스트림(Upstream) 사업을 운영한다. 유가가 하락하면 이들 기업의 수익에 타격을 주고, 이는 주가 하락으로 이어질 수 있다. 그러나 백신 개발 소식 이후 유가가 반등하면서 이들 기업은 중단했던 배당금 지급을 재개할 수 있었다. 유가가 안정적으로 상승한 주된 이유는 팬데믹 동안 많은 원유 채굴 기업들이 폐업하고 관련 설비 투자를 줄여 공급이 감소했기 때문이다. 또한, 금융 시장의 발달로 인해 원자재 선물 시장의 변동성이 커졌지만, 선박이나 파이프라인을 통한 실제 원유 운송에는 시간이 필요하기 때문에, 원유 생산 기업은 가격 급변동에 즉각적으로 대응하기 어렵다.

2021년 말, 코로나19에 대한 인식이 심각한 독감 정도로 변하면서, 정부의 광범위한 격리 조치들이 점진적으로 완화되었다. 이전에 취소되었던 연말 모임들이 다시 계획되었고, 백신 접종 증명을 통해 해외 여행이 재개되었다. 감염자 수의 감소는 물론, 관광 수입에 크게 의존하는 국가들의 적극적인 노력 덕분이었다. 많은 기업들이 원격근무에서 사무실 출근으로 전환하는 추세가 언론에도 보도되었으며, 이는 배달 서비스 산업의 매출 감소로 이어졌다.

세계 경제가 코로나19 이전 상태로 회귀하려는 움직임 속에서, 에너지 부문의 주식은 점차 안정을 되찾았다. 경제 위기를 맞이했던 소형 에너지 기업들의 주식은 3-5 배 상승했고, 엑슨모빌(티커: XOM), 옥시덴탈(티커: OXY) 등 대형 에너지 회사들은 석유 생산 증가와 유전 인수를 통해 주가 상승을 이끌었다. 필자의 투자 포트폴리오도 주로 에너지 주식에 집중되어 있어, 이러한 시장 변화로 인해 상당한 자산 증가를 경험했다. 당시의 거시경제 상황은 주식 시장의 상승세를 견인하기 좋은 시기는 아니었다. 코로나 팬데믹의 종식이 가시권에 들어오자, 미국 연방준비제도(이하 연준)는 2021 년 11 월, 그간 지속된 무제한 양적 완화(QE) 정책을 축소할 것임을 시사하기 시작했기 때문이다.

양적 완화는 중앙은행이 신규 화폐 발행을 통해 국채와 기업 채권을 매입함으로써 유통되는 통화량을 증가시키는 정책이다. 이는 기본적으로 "돈을 살포해" 경제 활성화를 도모하는 전략이며, 팬데믹 기간 동안 연준은 무제한 국채 매입을 통해 양적 완화를 지속했다. 그러나 경제가 점차 안정화되면서 이러한 조치를 중단할 필요성이 대두되자, 연준은 채권 매입 속도를 점진적으로 감소시켰다. 이 과정을 '테이퍼링 (Tapering)'이라고 하며, 시장의 충격을 최소화하기 위해 채권 매입을 갑작스럽게 중단하지 않고 차츰 줄여 나가는 전략이다. 예를 들어, 한 달에 100억 달러의 채권을 매입하던 것을 다음 달에는 50억 달러로 줄이는 방식이다. 연준은 월 1,200억 달러 규모의 국채 및 주택저당증권 매입을 1,050억 달러로 줄이겠다고 발표했으며, 이어서 다음 달에는 900억 달러로, 그리고 2022년 2월부터는 300억 달러로 추가 축소했다. 이는 연준의 신속한 정책 변화였다.

유동성 증가의 속도가 점차 둔화되고 있긴 했지만, 증가속도가 느려지는 것일 뿐 축소되는 것은 아니다. 그럼에도 불구하고 시장은 항상 미래를 선반영하는 경향이 있어, 미국의 장기 국채 금리가 상승하기 시작했다. 금리가 상승함에 따라 주식시장 역시 조정을 받기 시작했는데, 특히 현재 실적보다 미래 가치를 중시하는 기술주 중심으로 큰 폭의 주가 하락이 시작됐다. 이 기간 동안 나스닥 지수는 16,200 포인트에서 11,000 포인트까지 하락했다. 대표적인 대형 기술주인 어도비, 페이스북(현재 메타)는 고점 대비 50% 가까이 하락했으며, 테슬라는 $400에서 $100까지, 무려 75% 하락하는 등 시가총액이 낮은 기업들은 90%까지 하락하는 경우도 많았다. 특히 팬데믹 시기에 인기를 끈 밈 주식인 게임스탑, 카바나 등은 99% 하락했다. 급격한 유동성 감소 우려의 영향으로, 일반적으로 주가와 반대 방향으로 움직이는 채권조차 가격이 하락했다. 자산 관리에서 일반적인 전략은 주식과 채권을 6:4 비율로 보유하는 것이며, 한 자산의 가치가 오르면 비중을 줄여 다른 자산으로 옮기는 방식으로 비중을 조절한다. 이 전략은 지난 수십 년 동안 안정적으로 작동해왔다. 그러나 이번에는 연준이 금리를 강하고 빠르게 인상하면서 시장의 유동성이 급격히 감소해, 자산시장 전반에 걸쳐 큰 조정을 받았다.

기술주를 중심으로 한 시장 전체의 하락세와 달리, 에너지 부문은 예외적으로 강세를 보였다. 안정적인 유가를 기반으로 꾸준한 분기별 실적 성장, 자사주 매입, 배당금 증가 등의 강력한 주주 환원 정책을 통해, 기술주에 투자 자금이 에너지 섹터로 유입되며 주가 상승을 견인했다. 이전에는 기술주의 수익성을 부러워하며 추격하던 모습에서, 이제는 조정을 받는 다른 주식들을 내려다보며 정상을 향해 오르는 형세로 바뀌었다.

당시 유가는 배럴당 $80 수준이었고, 대부분의 정유 회사들의 손익분기점은 $50-$60 사이였으므로, 유가가 급격히 떨어지지 않는 한 큰 하락 위험은 없었다. 투자자들은 단기 조정 시 매수하고, 반등 시 매도하는 전략으로 쉽게 자산을 불려나갈 수 있었다. 이러한 전략은 2020 년에 비해 비교적 용이했다. 그렇게 2021 년 4 분기가 지나고 2022 년을 맞이하게 되었다.

2-4. 지정학 갈등과 유가

러시아의 우크라이나 침공

코로나 바이러스가 조금씩 수그러들기 시작할 무렵, 2022 년 2 월 24 일에 러시아의 푸틴 대통령은 대규모 군사 작전을 개시하며 우크라이나에 대한 침공을 시작했다. 우크라이나의 NATO 가입 가능성에 대한 불안감을 느낀 푸틴은 이미 몇 달 전부터 국경 지역에 수십만 병력을 배치한 상태였다. 미국의 바이든 대통령과 토니 블링컨 국무장관은 러시아와 지속적인 대화를 시도했으나, 이러한 노력은 결국 성과를 보지 못했다. 많은 이들이 전쟁 가능성을 무시했지만, 러시아 군대가 탱크와 보병을 앞세워 우크라이나 동부 지역을 신속히 점령하기 시작하자, 인접 국가들까지 전쟁의 소용돌이에 휘말려 국가간 적대 관계가 형성되고 모든 교류가 중단되었다. 전쟁은 본질적으로 불확실성을 수반하며, 이는 투자 시장에 큰 영향을 끼친다. 주식과 같은 위험 자산에 대한 불안으로 인해 시장에서 자금이 이탈하면 변동성이 증가한다. 대신, 달러, 금, 원유와 같은 전통적인 안전 자산으로의 수요가 급증한다.

이 전쟁은 러시아 대 서구의 대결 구도로 굳어지면서, 서구 국가들은 러시아의 천연가스 및 원유 등의 원자재 수출을 제한하고 국제 은행간 결제 시스템(SWIFT)에서 러시아를 배제했다. 이러한 조치는 러시아 경제에 큰 타격을 주었으며, 동시에 러시아의 천연자원에 의존하는 서방 국가들, 특히 유럽의 에너지 가격을 급등시켰다. 메르켈 총리 재임 기간 동안 러시아와 긴밀한 관계를 유지했던 독일에서는 전기 가격이 치솟아 베를린의 가정용 전기 요금이 월 150만원에 이를 정도였다. 이에 더해, OPEC+의 원유 감산 정책으로 인해 유가가 인위적으로 높은 수준을 유지하려는 움직임과 맞물리면서, 2022년 5월까지 천연가스 가격은 100%, 유가는 50% 가까이 상승해 배럴당 $120까지 폭등한다.

러시아와 우크라이나 간의 전쟁으로 얻은 중요한 교훈은, 하나의 사건을 다양한 관점에서 바라보아야 한다는 것이다. 앞서 언급한 바와 같이, 미국과 유럽은 러시아에 대한 경제 제재를 실시했다. 이로 인해 국제 기업들이 철수하고 무역 연결이 끊어지면서 러시아 경제는 큰 타격을 받기 시작했다. 러시아의 화폐인 루블의 가치가 급락했으며, 서방의 지원을 받는 우크라이나 군의 강력한 반격으로 러시아의 단기 전쟁 종결 계획은 실패로 돌아갔다. 진흙에 빠진 러시아 탱크와 병력을 드론이 공격하는 영상이 널리 퍼지면서 큰 화제가 되었고, 서방 언론은 푸틴이 굴욕적인 휴전 협상을 통해 러시아 정권의 몰락과 소비에트 시대로의 회귀 가능성을 보도하며, 침공이 실패로 끝났다고 보도했다.

러시아의 침략 전쟁에 대한 서구의 관점과 다른 시각을 고려하는 것은 논란의 여지가 있지만, 현실적인 접근이 필요하다. 전쟁이 시작된 지 2년이 넘었지만, 2024년 현재까지 러시아가 수세에 몰리거나 전쟁 종결이 임박했다는 명확한 징후는 보이지 않고 있다. 반대로, 에너지 부족으로 인한 대중의 불만 증가로 서방 국가들의 제재가 점차 완화되고 있으며, 러시아는 중국과 인도에 원유를 수출하며 전쟁 비용을 충당하고 있다. 미국과 중국 간의 긴장 고조로 인해 중국, 러시아, 인도 간 복잡한 지정학적 관계가 형성되고 있다. 분쟁의 장기화로 우크라이나를 지원하는 국가들은 경제적 어려움에 직면해 있으며, 러시아가 점령한 영토를 인정하는 선에서의 휴전 협상을 압박하고 있다. 우크라이나 대통령 젤렌스키의 해외

순방 시 받는 대우가 1-2년 사이에 크게 변화한 것에서도 이러한 상황을 엿볼 수 있다. 처음에는 영웅적인 전쟁 지도자로 여겨졌지만, 이른바 '대반격'의 실패 이후에는 끝이 보이지 않는 전쟁에 대한 지원을 계속 요구하는 골칫덩이가 되어가고 있다.

서구권 뉴스가 부정확하다는 것이 아니라, 단일한 관점만으로는 균형 잡힌 이해를 얻기 어렵다는 점을 강조하고자 한다. 사건을 종합적으로 이해하기 위해서는 다양한 목소리에 귀 기울이는 것이 중요하다. 예를 들어, 러시아의 전함이 폭파되었다고 한다면 단순히 "러시아가 큰 피해를 입었으니 우크라이나에게 전황이 유리해졌다!" 라고 생각할 게 아니라 그 전함이 중요한 전력인지, 단기간 내에 재보급 가능한 것인지, 또는 그 과정에서 다른 손해가 발생했는지 등을 고려해야 한다. 이러한 질문들은 군사 전문가가 아니더라도 충분히 생각해볼 수 있는 것들이다. 투자자의 입장에서는 다양한 시각을 검토하고 자신의 투자 전략에 오류가 없는지 지속적으로 교차 검증하는 것이 매우 중요하다. 잘못된 정보나 편향된 정보는 즉각 계좌에 부정적인 영향을 미칠 수 있기 때문에, 광범위한 정보 수집과 비판적 사고가 필수적이다.

경제 제재와 유가의 상승

러시아와 우크라이나의 전쟁은 중동 전쟁 이후 잊혔던 에너지의 무기화 가능성을 다시 상기시켜 주었다. 전선이 교착 상태에 빠지고 전쟁이 장기화됨에 따라 서방 국가들의 경제 제재의 파급 효과가 점점 더 뚜렷하게 나타나기 시작했다. 특히 에너지를 전적으로 수입에 의존하는 한국과 같은 국가들은 충격이 더 컸다.

한국은 인구 대비 원유(Oil) 수입량이 매우 높은 국가 중 하나로, 수입된 원자재를 가공하여 완성품으로 제조하여 수출하는 나라이다. 이렇게 많은 원자재를 수입하는 주체는 SK 이노베이션, GS 칼텍스, 에쓰오일 등의 국내 정유사들이다. 이들 기업이 직접 현지에서 원자재를 매입하지는 않는다. 대신, 트라피구라(Trafigura), 카길(Cargill), 글렌코어(Glencore), 비톨(Vitol)과 같은 글로벌 원자재 중개업체들이 있으며, 이들은 각국의 원자재 수입처와 원자재 수출국 간의 중개 역할을 한다. 이러한 기업들은 세계 원자재 유통 시장에서의 중요성에 비해 언론에 거의 노출되지 않고 있다.

20세기 중반까지 각국 정부가 추구하던 보호무역주의가 물러남에 따라, 전 세계에 새로운 교역 경로가 개척되었다. 수십 년 전, 소련과 미국이 활발하게 교역하는 모습은 상상하기 어려웠지만, 냉전 종료와 소련의 붕괴 이후 미국이 주도하는 새로운 세계 질서 하에서 모든 국가들이 자유롭게 교역하기 시작했다. 이로 인해 원자재 소비가 증가하고, 유통망의 규모 역시 확장되었다. 원자재 수입에 있어 이념이나 정치적 합의의 필요성이 줄어들고, 경제적 거래가 용이해졌다. 이제 우리는 수백만, 수천만 톤의 원자재를 수입하는 것을 당연하게 여기며, 그 과정에서의 중단이나 병목 현상에 대해 거의 생각하지 않게 되었다.

그런데 이번 전쟁에서 적대국에 대한 자원 통제가 실제로 이루어진 것이다. 전쟁 발발 직후, 유럽연합은 러시아로부터의 원자재 수입을 일정 가격 이하로 제한하는 '천연자원 가격 상한제'라는 제재를 결의한다. 이 제재의 핵심은 천연자원의 필수성과 서구 유럽 국가들이 러시아로부터 상당량의 천연자원을 수입해왔다는 점에 있다. 이러한 제재는 결국 공급자의 수익 감소와 더불어 수요자인 유럽 자체의 자원 부족

상태를 초래했다. 유럽연합은 태양열, 풍력, 원자력 등 신재생 에너지로의 전환을 통해 부족분을 해결하려 했지만, 이러한 대체 에너지원은 계절에 따라 생산량이 일정하지 않고, 원자력 발전소 건설에는 필요한 기술과 예산이 부족했다. 2022 년 겨울의 혹독함과 천연가스 가격의 폭등은 유럽 여러 국가들에게 심각한 에너지난과 함께 하락하는 정부 지지율이라는 어려움을 안겨주었다. 1 btu(천연가스 계약 단위)당 천연가스 가격이 $2 에서 $10 까지 치솟으며, 이에 따라 유럽은 에너지 위기와 지지율 하락에 직면했다.

러시아는 전쟁 비용을 마련하기 위해 자국의 천연자원을 구매해줄 다른 국가를 찾아야 했다. 이 과정에서 미국과 러시아 어느 쪽에도 속하지 않은 중국, 일본과 같은 제 3 국이 유럽의 제재 가격보다 높은 가격으로 러시아의 원유를 대량으로 매입하기 시작했다. '택(Tag)갈이'라는 용어는 저렴한 국가에서 생산된 상품을 자국에 들여와 자국에서 생산된 것처럼 교묘하게 라벨을 변경하여 판매하는 것을 의미한다. 러시아에 대한 에너지 제재가 시작된 후, 이러한 택갈이 행위가 인도양에서 이루어졌다. 러시아 선적이 중동 국가를 경유하여 인도로 판매되거나 중국으로 직접 저렴한 가격에 원유를 수출하면, 이를 수입한 중국과 인도는 그 원유를 자국산으로 둔갑시켜 서구에 다시 수출했다. 결과적으로 유럽은 이러한 상황에서 손해를 보게 되었고, 중국과 인도는 이 상황을 이용하여 자국의 이익을 취할 수 있었다. 우크라이나 사태는 그들에게 먼 나라 일이었고, EU의 제재에 동참할 필요가 없었다는 점에서 자국의 경제적 이익을 우선시할 수 있었다.

시장의 반응은 정직했다. 러시아의 경제 성장률은 회복세를 보이기 시작했고, 루블화 가치 역시 상승했다. 반면, 유럽 시민들은 높아진 에너지 가격에 항의하는 시위를 벌였으며, 친환경 정책을 추진하던 진보 정당들의 지지율은 흔들리기 시작했다. 유가에 대해 구체적으로 살펴보면, 푸틴의 우크라이나 침공 후 시장에서 거래되는 브렌트 원유와 서부 텍사스 중질유(WTI) 가격이 급등했다. 2022년 2월 배럴당 $80 근처였던 WTI는 세 달 만에 배럴당 $120를 넘어서며 2008년 금융위기 이후 15년 만에 최고가를 기록했다. 투자의 매력 중 하나는 상품의 가격이 항상 이성적이고 합리적으로 결정되지 않는다는 점이다. 특히 원자재 선물 시장은 변동성이 매우 크며,

이는 투기적 자금이 가격 왜곡을 일으키는 주요 원인 중 하나이다. 심지어 시장의 큰 손들조차도 이러한 변동성으로 인해 파산할 위험이 있다.

우크라이나-러시아 전쟁 발발 후, 거대한 투기 자본이 원자재 시장, 특히 에너지 선물 시장에 유입되기 시작했다. 여기서 언급하는 에너지는 금, 은, 구리, 철광석, 원유, 천연가스 등 인류가 사용하는 다양한 에너지원을 포함한다. 이 투기 자본은 에너지 가격을 크게 끌어올렸다. 가격 상승이 심해지자 일부 애널리스트들은 에너지 가격이 '수요 파괴'라는 단계에 도달했다고 지적할 정도였다. 이는 가격이 너무 높아져 수요가 감소하는 현상을 의미한다.

에너지 섹터 쏠림 현상이 심화되자 에너지를 제외한 다른 자산군의 가격은 크게 하락하기 시작했다. 개전 이후 약 1년 동안 이러한 자산군은 지속적인 하락세를 보였는데, 특히 기존에 상승세를 보였던 IT 업종의 주식들이 크게 떨어졌다. 나스닥 지수는 거의 40% 하락했고, 소형주 중에는 70~90%까지 떨어진 경우도 많았다. 이는 많은 수익을 실현하고 에너지 부문으로 유동성이 집중되었다는 명확한 신호였다.

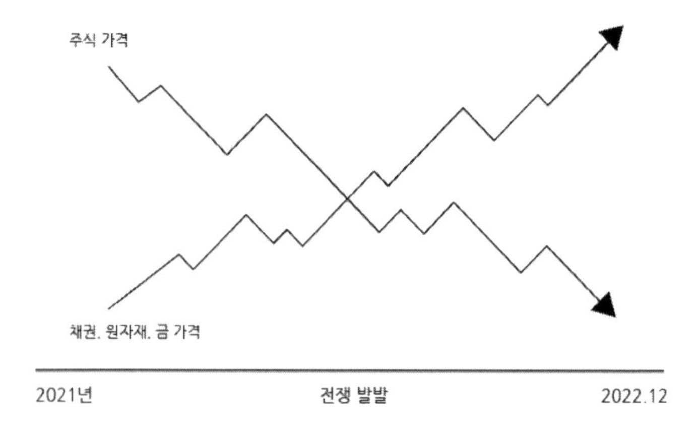

삼일천하 고유가

코로나 팬데믹 이래 주식 시장의 꽃은 기술 부문, 특히 IT 섹터 주식이었다. 이 시기에 풍부한 유동성이 미래에 대한 낙관적 전망을 조성하며 투자자들을 유혹했다. 당시 낮은 금리와 풍부한 자본은 단기 수익의 부재를 감내하게 만들었다. 전기차, 메타버스, 인공지능(AI), 언택트(비대면) 산업 등 다양한 신기술 테마가 투자자들의 꿈과 희망을 자극했다. 그러나 국제 원유 가격이 서서히 상승하던 중 갑작스러운 군사적 충돌로 배럴당 $100를 넘어섰다. 미디어의 초점은 팬데믹 상황에서 군사적 긴장으로 옮겨갔고, 러시아의 군사 작전은 사람들에게 두려움을 조성했다. 이러한 상황은 원자재 가격의 급등을 초래했고, 전 세계, 특히 한국의 서민 경제에 직접적인 영향을 미쳤다. '전쟁이 실제로 일어났구나'라는 인식이 확산되었다. 대규모 투자자들이 원자재 부문으로 이동한 후, 많은 개인 투자자들도 주식 매수에 나섰다. 이는 팬데믹 기간 동안 하락세를 보인 경기 순환주(Cyclical stocks), 방어주(Defensive stocks), 가치주(Value stocks)에 대비되는 현상이었다.

전쟁의 장기화가 예상되며 원자재 투자에 대한 논의가 활발해지자, 필자는 보유하던 에너지 관련 주식 중 일부를 매도하기로 결정했다. 대중과 미디어에 원자재 섹터가 많이 노출되는 것으로 봤을 때 단기간 고점에 도달했다고 판단했기 때문이다. 국내 유명 주식 토론 포럼에서는 수익 인증과 매수 추천이 연이어 퍼져 나갔다. 원자재 하락을 예측한 이들은 비웃음을 받았고, 상승을 주장하는 이들은 광범위한 데이터와 분석을 근거로 장기 투자를 강조했다. 대중의 주목을 받는 주식이 계속 상승할 것이라는 의문이 들기도 했지만, 필자는 갑작스러운 언론과 대중의 관심이 불편했다. 이전에는 주목받지 못했음에도 불구하고 꾸준히 수익을 창출하던 중, 대중의 이목이 집중되며 모두가 매수에 열을 올리는 것을 보고 불안함을 느꼈다. 몇 달 후에야 깨달은 사실이지만, 당시 원유 가격 상승의 주요 원인은 내가 처음 투자했던 이유인 '수요와 공급의 불균형'이 아닌, '전쟁 상황'이었다는 사실을 알게 되었다.

축제의 시간은 짧았다. 2022년 상반기에 전쟁이 계속되는 가운데, 유가는 예상치 못하게 조정을 받기 시작했다. 2022년 5월부터 2023년 5월 사이, $120이었던 유가는 지속적인 하락세를 보이며 $65까지 떨어졌다. 전쟁이 아직 끝나지 않았기 때문에 이를 일시적 조정이라 판단하고 물타기 매수에 나선 많은 투자자들은 1년 후에도 투자 원금을 회복하지 못했다. 모두가 아는 뉴스는 대부분 실제 가격 상승의 원인이 아닌 경우가 많다. 초기 유가 하락에 대해 명확히 밝혀진 이유는 없다. 가장 가능성 있는 설명은 단순 차익 실현에 의한 하락이다. 시장에 큰 돈이 유입되어 가격을 끌어올린 후, 이익을 실현하기 위해 매도하는 것이다. 이는 전쟁 초기의 유동성이 시장에서 빠져나간 것으로 이해할 수 있다. 이후 미디어는 혼란스러운 개인 투자자들에게 납득할 만한 설명을 제공했다. 유가 하락의 주된 원인으로 제시된 것은 바로 경기 침체로 인한 수요 감소였다. 중국의 '제로 코로나 정책'이 경제에 미치는 영향으로 인해 중국의 석유 수요가 감소하고 있다는 분석이었다. 실제 데이터도 중국의 경기 침체 징후를 보여주고 있었다.

가격이 이유를 만든다

전쟁이 끝나지 않은 상황에서, 중국의 경제 둔화에 관한 논의는 이미 오래전부터 진행되어왔고, 유가의 급락은 이러한 요인들과 직접적인 연관이 없었다.

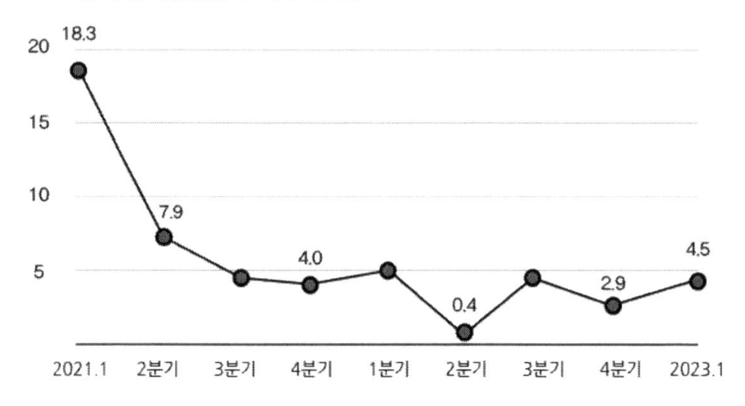

대중은 종종 뉴스를 통해 가격 변동의 원인을 사후적으로 알게 되며, 상승세가 끝나갈 무렵에야 매수하여 하락장에서 큰 손실을 입는다. 이런 투자자들은 시장을 욕하며 투자를 포기한다. '가격이 내러티브(Narrative : 어떤 현상에 대한 줄거리, 플롯)를 창조한다'는 말이 있다. 아무리 논리적으로 그럴듯해도, 현재의 가격을 설명하지 못한다면, 그 논리는 가격에 맞춰 수정되어야 한다는 뜻이다. 이는 '닭이 먼저냐, 달걀이 먼저냐'와 같은 문제와 유사할 수 있다. 그러나 분명한 것은 시장 가격은 언제나 현 상황보다 앞서 나간다는 점이다.

당신이 투자자가 아니라면 정보를 지나치게 깐깐하게 검증할 필요는 없다. 당신이 접한 정보가 거짓으로 밝혀진다 해도 그것은 당신의 월급에 영향을 주지 않으며, 반대로 누구도 모르는 긴급한 소식을 먼저 알았다고 해서 당신의 상사가 초과 성과급을 주지도 않는다. 투자의 매력은 세상에서 일어나는 다양한 사건을 분석하고 그에 따라 선택하며 베팅하는 과정 그 자체에 있다. 수익을 얻는다면 그것은 전적으로 나의 공로이며, 손실을 입는다면 그것도 내 책임이다. 뉴스의 유통 과정은 유통업과 비슷하다. 마치 돼지고기가 식탁에 오르기까지 여러 단계를 거치는 것처럼, 정보 역시 다양한 변형과 가공 과정을 거쳐 우리에게 전달된다. 우리는 남의 의도에 맞춰 조정된 정보를 바탕으로 자산을 함부로 투자해서는 안 된다. 한 사건을 다양한 관점에서 바라보고, 관련 데이터를 조사하며, 그 사건에 대해 시장이 어떻게 반응하는지 관찰해야 한다. 내가 중요하다고 생각하는 정보라도 시장이 반응하지 않는다면, 그 정보는 투자 관점에서는 의미가 없다.

일부 투자자들은 거시경제와 금융 환경을 무시하고, 오직 차트만이 중요하다고 주장한다. 비록 차트 분석이 중요한 요소임은 분명하지만, 차트 역시 특정 사건에 대한 시장의 반응이라는 점을 잊어서는 안 된다. 거대한 사회적 변화는 개별 기업의 주가나 마켓 지수 차트의 추세 바꿔버릴 수 있는 중요한 요소다. 차트 분석과 거시경제적 사건 및 이벤트가 모두 중요한 이유는 상황에 따라 각 요소의 중요도가 달라지기 때문이다. 예를 들어, 금리 인하와 같은 큰 이벤트가 발생하면 시장의 패시브 자금이 추세를 만들어 내기도 한다. 코로나 팬데믹과 미 연준의 무제한 양적 완화 정책이 좋은 예시다. 반대로 금리가 안정화된 상태라면 기업의 실적이 마켓에 영향을 끼치는 비중이 증가하게 된다.

러시아가 우크라이나를 침공한 후 제재를 받게 되자, 러시아산 원유는 비밀리에 다른 경로로 유통되어 세계 시장의 공급이 실제로는 안정적으로 유지되었다. 그럼에도 불구하고, 많은 트레이더들은 공급 부족에 따른 유가 상승에 베팅했다가, 이후 증가한 원유 재고 데이터가 발표되면서 큰 손실을 경험했다. 이 사건을 계기로, 2021 년에는 원유 시장을 움직이는 큰 투자 세력들이 인공위성 감시 시스템을 이용해 실시간으로 유조선의 움직임과 원유 저장량을 모니터링할 수 있는 웹사이트를 개발하여 원유 선물 거래에 활용하기 시작했다. 투자 시장에서는 이와 같은 거대 세력과 경쟁하고 있음을 항상 인지하고 있어야 한다. 하지만 개인 투자자에게는 트레이더나 헤지 펀드와는 다른 강점이 있다. 이러한 강점을 이용해 정보를 객관적으로 분석하고 시장의 동향을 정확하게 파악하여 자신만의 투자 전략을 수립하는 것이 중요하다.

유가 하락과 나스닥의 반등

유가는 배럴당 $120 에 도달한 후 1 년 동안 지속적인 하락세를 보였다. 에너지 섹터에 큰 비중을 투자한 필자의 계좌 역시 속된말로 박살 나고 있었다. 주요 경제 매체들은 이러한 하락의 주된 원인을 중국의 경기 침체 '우려'로 지목했다. 경제 전문지들은 세계 경제 침체에 대한 공포가 유가 하락의 배경이라고 분석했다. 팬데믹 기간 동안 중국은 엄격한 방역 정책을 유지하며 공식적으로 낮은 확진자 수를 보고했다. 그러나 치사율이 낮아지고 전염성이 강화된 바이러스의 특성으로 인해 점차 확진자 수가 증가하기 시작했다. 중국 정부는 정책 실패에 대한 비판을 우려해 경제적 영향보다 정치적 안정성을 우선시하는 방향으로 결정을 내렸다. 이로 인해 지속된 봉쇄 정책은 산업 생산의 저하, GDP 성장 둔화, 수출 감소를 초래했다. 전 세계가 인플레이션과 씨름하는 가운데, 중국은 경제 악화로 인해 독특한 디플레이션 상황에 직면했다. 경제회복을 위해 봉쇄 정책을 포기할 것이라는 필자의 예측은 보기 좋게 빗나갔다.

중국의 장기적인 봉쇄 정책으로 인해 국민들의 불만이 증가하고, 이에 대한 우려스러운 보도가 연이어 쏟아졌다. 여러 중국의 대학들에서 전례 없는 규모의 시위가 일어났으며, 이로 인한 시민과 공권력 간의 충돌 장면이 서방 언론 및 소셜 미디어를 통해 널리 퍼졌다. 중국 공산당은 상황을 진압하려 했지만, 고조된 여론을 진정시키는 어려웠다. 신장 위구르 자치구에서 발생한 화재사고로 인한 사망자를 애도하는 시위가 베이징, 청두, 시안, 상하이 등 주요 도시로 확산되었다. 이에 시민들은 "시진핑은 물러나라!"라는 구호를 외치기 시작했으며, 중국 공산당의 강경한 대응에도 불구하고 상황은 심각해 졌다. 이러한 대규모 시위가 발생한 것은 중국 정부의 정책이 심각한 위기에 처해 있음을 나타내는 신호였다. 결국 중국 정부는 고집스러운 봉쇄 정책을 포기하고, 제로코로나(Zero COVID) 정책에서 위드코로나(with COVID) 정책으로 단계적으로 전환했다. 그러나 이러한 변화는 이미 경제 침체가 시작된 상황을 반전시키기에는 역부족이었다.

이 시기에 시장의 유동성은 '실물경제의 둔화에 따른 금리 인하에 대한 기대감'으로 움직였다. 미국은 중국과는 달리 경기 침체 징후가 나타나지 않았음에도 불구하고, 미국의 장기 채권 금리는 지속적으로 상승하여 10년 만기 채권의 금리가 4%를 넘어섰다. 이와 동시에 경기에 민감한 구리, 철, 원유 등의 원자재 가격은 하락세를 보였다. 중국이 경기 침체를 겪고 있으니 미국도 이어질 것이라는 추측이 있었다. 반면, 이전에 하락했던 미국의 나스닥 지수는 '곧 금리 인상이 끝나고 경기 침체가 도래하면 금리가 인하될 것이다'는 전망으로 추세를 반전시켰다. 그러나 모두가 예상한 경기침체의 징후는 미국 경제지표에서는 보이지 않았다. 한달, 두달, 반년, 1년… 그러다 보니 경제는 예상보다 나쁘지 않고, 주가는 금리인하를 선반영하여 상승하는 신기한 장세가 계속되었다. 2022년

12월부터 강력한 반등을 시작한 나스닥 지수는 이후 6개월 동안 약 40% 상승하며 전년도의 손실을 모두 회복했다. 이러한 회복세를 주도한 7개의 테크 기업은 강력한 실적과 기술 발전을 보여주었으며, '매그니피센트 7(Magnificent Seven, 이하 M7)'으로 명명되어 언론의 주목을 받았다.

2-5. 알고도 당한 섹터 순환 장세

매그니피센트 7

지난 1년 동안 시장 상승을 주도한 것은 M7, 7개의 주요 빅테크 기업들(엔비디아(티커: NVDA), 애플(티커: AAPL), 마이크로소프트(티커: MSFT), 메타 플랫폼스(티커: META), 아마존닷컴(티커: AMZN), 알파벳 A(티커: GOOGL), 테슬라(티커: TSLA))였다. '매그니피센트(Magnificent)'는 '매우 아름다운', '위대한'이라는 의미를 가지고 있다. S&P500 지수가 19% 상승한 2022년 12월부터 2023년 12월 사이, M7의 주가는 무려 79% 상승했으며, S&P500 전체 시가총액 중에서

M7이 차지하는 비중은 거의 30%에 달했다. 이런 말도 안되는 성장이 가능했던 이유는 1) 견고한 실적, 2) 인공지능(AI) 기술의 혁신, 3) 주주에 대한 환원에 기인한다.

1) 견고한 실적

기업의 가장 중요한 목표는 매출 증가다. 성장 잠재력이 높더라도 수익을 창출하지 못하는 기업은 모래 위에 지어진 성과 같아, 자금 조달에 어려움을 겪으면 금방 무너질 수 있다. 매출을 통해 확보된 자금은 기존 사업 강화와 미래 연구개발(R&D)에 투자하여 지속 가능한 사업을 구축하는 데 사용할 수 있다. 이에 반해 외부 자금에 의존하는 것은 결국 타인의 의지에 자신의 운명을 맡기는 것과 같다. 팬데믹 기간 동안 많은 기업이 주식 시장에 상장하여 높은 가격에 주식을 매도하고 큰 수익을 올렸지만, 이는 지속 불가능한 비즈니스 모델을 유동성이 풍부한 시기에 포장한 것에 불과했다. 이런 기업들은 대부분 매출이 없거나 매우 낮아 낮은 이자율로 타인의 자본을 활용해 인력을 고용하고 사무실을 운영했다. 하지만 지속적인 적자로 결국 자본잠식 상태에 빠졌다. 그러나 M7은 이와 달랐다. 이들은 지속적으로 애널리스트의 예상을 뛰어넘는 매출을 기록했다. 탄탄한 제품 라인과 높은 고객 충성도를 바탕으로 지속 가능한 사업 구조를 구축했으며, 디지털화된 경영을 통해 다양한 분야에서 새로운 매출을 창출했다. 애플의 경우, 앱스토어, 맥북, 아이맥, 에어팟, 아이튠즈, 아이클라우드 등 각 사업부 하나 하나가 구글, 삼성, 스포티파이, 아마존과 같은 경쟁사들과 비교해 우위를 점하거나 그 이상의 성과를 달성하고 있다. 또한, 이들 서비스가 애플의 운영 체제(OS)를 사용함으로써 사용자 편의성과 시스템 통합 면에서도 뛰어난 효율성을 제공하고 있다.

2) AI 기술 혁신

M7 주도의 AI 기술 혁신은 최근 몇 년간 나타났던 유행과는 달리, 기업의 기존 IT 솔루션과 통합되어 직접적인 수익 증가에 기여했다. 팬데믹 기간 동안, 다양한 혁신적 아이디어가 시장의 상승을 자극했다. 메타버스, 스마트 농업, 재생 가능 에너지, 우주 여행, 원격 의료, 재택 근무, 가정용 피트니스 등 많은 기업들이 저렴한 대출로 자금을 조달하며 세상을 변화시키겠다고 주장했다. 그들이 주장하는 대부분의 혁신이 먼 미래에나 실현될 것임을 알면서도, 시장에 유입된 유동성은

이들 기업의 주가를 계속 상승시켰다. 분석가들이 보고서를 발표하고 매수 추세가 시작되면, 투자자들은 경쟁적으로 주식을 매입했다. 상승장에서 투자자들은 아직 평가되지 않은 새로운 종목을 선호했고, 이러한 주식들은 그러한 수요를 충족시켜주었다. 우회상장을 통해 시장에 진입한 기업들도 상장과 동시에 주가가 급등했는데, 이는 마치 블랙프라이데이에 제품을 쟁탈하는 것 같이 보일 정도였다. 하지만 양적 완화 기간이 종료되면서 이렇게 단기간에 급상승한 기업들의 주가는 상승 기간보다 훨씬 짧은 기간동안 빠르게 하락했다. 투자자라면 한 번 쯤 들어봤을 하이먼-민스키 차트의 정석과도 같은 상승-하락 사이클이었다.

하지만 인공지능(AI)의 발전은 이전과 다른 양상을 보였다. 비영리 연구기관 Open AI가 2022년 1월에 선보인 Chat GPT는 전 세계적으로 큰 파장을 일으켰다. 2000년대와 2010년대를 거치며 AI 연구는 꾸준히 진행되었으나, 진전될수록 그 한계도 명확해지는 것이 일반적인 견해였다. 2016년, 구글 딥마인드의 알파고가 세계적인 바둑 기사 이세돌을 꺾음으로써 인공지능에 대한 대중적 인식이 강화되었다. 그러나 알파고 이후에 등장한 다수의 '인공지능(AI)' 기반 서비스들은 대중의 기대처럼 '전방위적 지식과 지원'을 제공하는 수준에는 이르지 못했다. 이들은 주로 특정 분야나 산업의 프로세스를 지원하는 역할에 그쳤다.

하지만 인공지능의 한계가 명확하다는 인식은 Chat GPT 의 공개 이후 완전히 달라졌다. 특히 자연어 처리능력이 괄목할 만큼 발전하여 어지간한 인간의 언어는 그 맥락과 의미를 이해하여 사람처럼 대답해 주는 것이 가능해졌다. 물론 필자는 인공지능 전문가가 아니기 때문에 이 책에서 인공지능의 미래나 구체적인 기술에 대해서 이야기할 수는 없다. 그러나 구체적인 기술을 모르더라도 IT 산업에 종사하는 필자에게는 Chat GPT 가 대중에게 공개된 지 1 년 반밖에 되지 않은 현재(2024 년)도 기존 기술들에 AI 가 적용되어 느끼는 편리와 변화를 체감하고 있다. 코딩을 할 때 자동으로 코드를 짜 주는 것은 너무나 유명한 예시이다. 그 외에 필자가 사용하는 디자인 툴에서는 기존에 어떤 화면의 디자인을 요구받았을 때, 직접 모든 형태를 디자인해야 했다면 이제는 가장 최적화 된 디자인 시안을 내가 가지고 있는 디자인 리소스를 활용하여 제안해

주거나, 생성형 ai를 활용하여 유저가 그린 형태 안에 최적의 텍스쳐(질감)를 알아서 채워주기도 한다. 원하는 바와 조건을 명확히 제시하면 사용자가 원하는 결과물을 제시해준다.

그러나 Chat GPT의 등장 이후, 인공지능에 대한 인식은 근본적으로 변화했다. 특히 자연어 처리 분야에서 현저한 발전을 이루어, 대부분의 인간 언어를 이해하고 대화를 나눌 수 있게 되었다. 비록 필자가 인공지능 전문가는 아니어서 이 책에서 향후 관련 산업의 미래나 기술적 세부사항에 대해 깊이 있게 논의할 수는 없지만, IT 산업 종사자로서 Chat GPT의 도입 이후 1년 반 동안 AI가 기존 기술들에 통합되어 가져온 편리함과 변화를 몸으로 느끼고 있다. 2024년 현재, 자동으로 코드를 작성해주는 기능은 널리 알려진 사례다. 또한, 필자가 사용하는 디자인 툴에서는 이전에는 수동으로 모든 디자인을 해야 했던 것을 AI가 최적화된 디자인 제안을 하거나, 사용자의 스케치에 맞춰 최적의 텍스처를 자동으로 적용해주는 생성형 AI 기술을 활용하고 있다. 명확한 요구사항을 제시하면, AI는 사용자가 원하는 결과물을 제공한다.

Chat GPT가 시장에 나온 지 겨우 1년 반 만에, AI가 가져올 미래의 변혁적인 변화를 간파한 기업들이 AI 연구와 개발에 앞장서기 시작했다. 하지만 독자적인 AI 연구 개발을 위해서는 방대한 양의 데이터 처리 능력, 상당한 자본, 그리고 수많은 우수한 인재가 필수적이다. 이 때문에 Salesforce나 Shopify와 같은 글로벌 IT 기업들 뿐만 아니라, Coca-Cola나 Nike와 같은 전통 산업의 기업들까지도 Open AI에 상당한 비용을 지불하며 Chat GPT의 API를 활용하고 있다. 직접 개발하는 것에 비해 비용적, 효율성 측면에서 월등한 이점이 있기 때문이다.
결과적으로, AI 산업을 선도하는 M7과 같은 기업들의 기술적 우위는 점점 강화되고 있다.

3) 주주환원

M7은 주주들에게 가치를 전달하기 위해 배당과 자사주 매입이라는 주주 환원 정책을 적극적으로 운영하고 있다.
배당금은 분기별로 회사의 수익에 따라 변동되며, 일반적으로 혁신과 빠른 성장을 추구하는 기술 및 생명공학 분야의 기업은 낮은 배당률을 가진다. 반면, 안정적인 현금 흐름을 보이나 성장이 더디기 때문에 부동산, 에너지, 금융 등의 산업에서는 배당률이 높은 편이다. 경제 호황기에는 이익 증가에 따라 배당금도 상승하며, 가끔은 특별 배당이 포함되기도 한다. 2022년, 유가 상승으로 이득을 본 에너지 기업 Oasis Petroleum(티커: OAS)은 예정된 배당 외에도 10%의 특별 배당을 실시한 바 있다.

자사주 매입이란 말 그대로 기업이 자신이 발행한 주식을 사들이는 것을 말한다. 일반적으로 기업 실적 발표 시즌에 기업의 CEO가 자사주 매입 기간과 규모를 발표하며, 이렇게 매입한 주식은 소각되어 총 발행 주식 수가 줄어들기 때문에 주가를 효과적으로 끌어올릴 수 있다. 애플(티커 : AAPL)의 경우 2022년과 2023년에만 900억 달러의 주식을 환매하여 시가총액 3조 달러를 고려할 때 주주들에게 연간 최소 3%의 안전 마진을 제공했다. 주주 환원은 기업에 대한 투자자의 신뢰와 투자에 보답하는 방법이다. 일관된 주주환원 정책은 기업의 신뢰도를 높이고 장기적으로 주가를 상승시킬 수 있다. 주주환원의 방법은 두가지이지만 주주들의 신뢰를 훼손하는 방법은 무수히 많다. 한국 주식시장이 바로 그 대표적인 사례다. 수시로 기업 내 부서를 쪼개 상장하여 해당 사업의 미래를 보고 투자한 주주들을 물 먹이기도 하고, 자사주를 매입하지만 매입한 주식을 소각하지 않고 보유하고 있다가 주가 상승국면에 다시 매도하여 찬물을 뿌리는 경우도 있다.

자사주 매입은 기업이 자신이 발행한 주식을 시장에서 매수하는 행위를 말한다. 이는 주로 기업 실적 발표 시에 CEO에 의해 발표되며, 매입한 주식은 종종 소각되어 총 발행 주식 수를 감소시킨다. 이는 주가 상승에 기여할 수 있다. 예를 들어, 애플(AAPL)은 2022년과 2023년에 900억 달러 규모의 주식을 환매하고, 3조 달러의 시가총액을 감안할 때 주주들에게 연간 약 3%의 수익률을 제공했다. 이와 같은 주주 환원 정책은 기업에 대한 투자자의 신뢰를 증진시키고, 투자에 대한 보상으로 작용한다. 일관된 주주 환원 정책은 기업의 신뢰도를 높이고 장기적인 주가 상승을 유도할 수 있다. 그러나 반대로 주주 신뢰를 저해하는 행위도 존재한다. 한국 주식시장에서는 기업이 사업 부문을 분할 상장하여 투자자들을 속이거나, 자사주를 매입한 후 주가 상승 시 다시 매도하는 사례와 같이 부정적인 예가 나타나기도 한다.

또한, 대표가 주식을 최고가에 전량 매각하거나, 투자 자금 마련을 명분으로 갑작스럽게 추가 주식을 발행하는 유상증자는 기존 주주의 자산 가치 하락을 초래하여 기업에 대한 불신을 증가시키는 요소다. 이러한 현상은 공산국가인 중국의 주식시장의 주주환원율 29% (2023 년 기준)보다도 낮은 한국에서 흔히 발생한다. 이는 한국의 개인 투자자들이 주식보다는 암호화폐나 부동산과 같은 다른 투자 수단을 선호하는 이유 중 하나이다. '코리아 디스카운트'로 인해 10 년 가까이 시장 지수가 정체되어 있는 것은 낮은 주주환원율의 결과로 볼 수 있다. 필자의 견해로는 이를 단순한 '디스카운트'로 보기보다는 낮은 주주환원율에 상응하는 적정 가격으로 평가하는 것이 타당하다고 본다.

M7 은 주목할만한 기업 성장을 이루면서도 주주 이익을 우선시하고, 전 세계에서 유입되는 투자 자금과 인재를 효과적으로 활용하며 성과 중심의 보상 체계를 구축해왔다. 또한 강력한 기술적 우위를 확보하는 데에 집중함으로써, 지난 몇 년간 세계 주식시장의 상승을 이끌었다. 테슬라의 엘론 머스크(Elon Musk), 엔비디아의 젠슨 황(Jensen Huang),

마이크로소프트의 사티아 나델라(Satya Nadella)같은 글로벌 IT 기업의 리더들은 분기별 실적 발표에서 주주들의 기대를 충족시키기 위해 적극적으로 노력한다. 이들은 직원들에게 충분한 보상을 제공하여 약속된 기능과 제품을 제공하도록 독려한다. 이러한 노력은 기업에 대한 신뢰를 증진시키고, 기관 투자자들의 매수 추천과 높은 목표 주가 설정으로 이어져 지속적인 투자를 유도한다. 이는 기업 가치의 상승과 주주 이익 창출로 이어지는 긍정적인 선순환을 만들어낸다. 상장된 기업이라면 리스크를 감수하더라도 투자하는 주주들에게 지속적인 보상을 제공하는 것이 중요하다.

무서운 투자의 관성

필자는 이 시기에 기술 섹터에 대한 투자로 안정적인 수익을 얻었을까? 바보같이 들리겠지만 필자의 계좌는 이 유동성의 전환 기간 동안 가장 큰 손실율을 기록했다. 최고점 대비 약 30%의 손실을 경험했으며, 전년도의 양도소득세(자본 이득에 부과되는 세금) 부과로 인해 손해가 더욱 커졌다. 그 당시,

극심한 스트레스로 인해 탈모 증상까지 겪었다. 음식의 맛을 느끼지 못하고, 친구들과의 만남도 부담스러웠다. 손실을 회복하려는 생각만이 머릿속을 지배했고, 유망하다고 생각한 종목들을 지속적으로 매수했다가 손해를 보며 매도하는 패턴을 반복했다. 이러한 상황에서 더욱 조급한 마음이 생겨, 평소라면 시도하지 않았을 위험한 투자 결정을 하게 되었다.

큰 손실의 주요 원인은 변화하는 투자 환경에 적응하지 못한 데 있었다. 이전에는 기술주를 중심으로 한 강세 시장에서 거래량이 적은 상태에서도 소외된 섹터로 자금이 조금씩 유입되며 이익을 볼 수 있었다. 하지만 전쟁과 같은 주요 이벤트가 발생하자, 대규모 자본이 급속하게 유입되어 전체 섹터의 급격한 상승을 초래했다. 필자는 '드디어 내 분석이 맞았다. 이것은 시작일 뿐이다!'라고 생각하며 더 큰 상승세의 시작으로 여겼다. 그러나 이벤트가 끝나고 유입됐던 자금이 이익을 실현하고 다른 섹터로 이동하는 것 현상을 이해하지 못했다. 나는 다른 섹터에 투자하는 현명한 투자자라고 스스로 생각했지만, 진정으로 현명한 투자자는 섹터에 구애받지 않고 기회를 포착해 수익을 내는 사람이었던 거이다. 투자자의 주요 목표는 이익 창출이지만, '고유가'에 집착하다 보니 다양한 섹터에 대한 관찰을 소홀히 했다. 결국 승자는 타이밍 좋게 잠시 들어와 모든 수익을 실현하고 유유히 떠난 이들이었다.

결과적으로, 필자는 다른 섹터의 주가가 급등하는 것을 지켜보면서도 보유 중인 하락세 상태에 놓인 주식을 매도하지 못했다. 그 대신 손실을 보고 있는 종목들에 대해서 과거의 원칙에 따라 거래를 계속했다. 이미 실패한 매매 전략임을 시장이 알려줬는데도 말이다. 손실이 발생하면 추가 매입을 하고, 손실이 증가하면 분할 매도하는 전략을 사용했지만 손실은 더욱 커져만 갔다. 시장 환경의 변화했음에도 시장이 잘못되었다고 생각하며 변화를 수용하지 못했다. 물론 내 분석이 옳을 수도 있지만, 시장이 그것을 증명해 주리라는 보장은 없다. 그 증명은 5년 후일 수도, 10년 후일 수도 있으며, 아마도 그런 황금기는 다시 오지 않을 수도 있다. 유동성은 한 번 큰 수익을 실현한 섹터나 종목에 대해서는 다시 관심을 보이는 일이 별로 없다.

현재 2023년 이후 유가는 배럴당 $70~$80 선에서 안정되어 있으며, 다른 자산에 비해 상대적으로 정체된 모습을 보이고 있다. 에너지 가격의 이러한 정체 상태는 인플레이션 완화에 기여했고, 이는 다시 금리 인상으로 이어져 에너지 부문을 제외한 다른 모든 자산군의 지속적인 상승을 촉진했다. 에너지 가격이 안정되어 있다면 시장 전체가 안정적인 성장을 경험할 수 있는데 굳이 에너지 부문에서 이미 상당한 시세 차익을 얻은 상황에서 이익실현을 하지 않을 이유가 없다.

이런 이야기가 있다.

<어느 독실한 신자가 길을 걷다가 구덩이에 빠졌다. 그가 신에게 구해달라고 기도를 하는 동안 많은 이들이 도움의 손길을 내밀었다. 그러나 그는 그 손길을 모두 거절했다. "신께서 저를 구해주실 것입니다." 결국 굶어 죽은 그의 영혼이 신 앞에 섰을 때 신이 그에게 말했다. "내가 너를 구하기 위해 많은 행인들을 보냈는데 왜 그들의 도움을 거절한 것이냐?">

필자는 구조적 고유가 강세라는 '신'이 오기를 바라며 큰 수익을 낼 기회를 준 러/우 전쟁이라는 신의 도움을 무시한 독실한 신자였던 것이다.

다행스럽게도 큰 손실을 겪긴 했지만 지금까지 쌓아온 수익을 완전히 잃지는 않았다. 고집하던 잘못된 관점을 바꾸고 태도를 조정한다면, 여전히 포착할 수 있는 기회들이 많이 남아있었다. 필자를 포함한 많은 투자자들이 자신의 오류를 인정하지 않고 시장을 떠나곤 한다. 하지만, 투자에서의 실패는 두려워할 필요가 없다. 투자는 선택의 연속이며, 이익과 손실의 총합으로 이루어진다. 어떤 때는 이익을 보기도 하고, 또 어떤 때는 손실을 겪기도 한다. 100번의 동전 던지기에서 모두 앞면만 나올 수는 없다. 중요한 것은 결과를 피드백으로 삼아 시장의 동향을 파악하고, 승률을 점차적으로 높이며, 큰 손실을 피하기 위해 리스크를 잘 관리하는 것이다. 이렇게 꾸준히 승률을 높여가면, 처음의 50% 승률은 서서히 1%, 2%씩 증가하여 10번의 선택 중 6-7번은 이익을 볼 수 있는 능숙한 투자자가 될 수 있을 것이다. 이것이 바로 자산을 다양하게 분산시키고 손절매 기준과 이익 실현 기준을 적절히 설정해야 하는 이유이다. 승리한 투자에 적게, 패배한 투자에 많이 투자하면, 높은 승률에도 불구하고 전체적으로 손실을 볼 수 있다는 것을 명심하자.

금리 인하 기대감

2023년 10월 20일, 미국 국채 10년 만기 금리가 5%를 넘어섰다. 인플레이션이 잡힐 기미를 보이지 않자 시장은 연준이 계속해서 금리를 올릴 것이라는 데에 베팅한 것이다. 미국채 10년 만기 금리가 5%라는 것은 세계에서 가장 안정적인 자산으로 여겨지는 미국의 채권이 10년 동안 연평균 5%의 수익률을 제공한다는 의미다. 투자자 입장에서는 위험 부담 없이 연 5%의 수익을 얻을 수 있기 때문에, 더 높은 위험을 지닌 주식 투자에 매력을 느끼기 어렵다. 이와 더불어 기준금리 상승으로 대출 환경이 악화되면서, 가장 큰 타격을 받는 기업들은 어떤 기업일까? 바로 부채가 많은 기업이다. 미래의 현금 흐름 전망이 밝다 하더라도 자금 조달에 실패하면 주가는 급락한다. 낮은 금리와 높은 유동성 환경에서는 이자 비용이 적어 채무 부담이 적지만, 연준이 긴축 정책을 시행하면 이자 부담이 증가하고 수익성이 감소하여, 부채 비율이 높고 시가총액이 낮은 중소기업들은 경영 상 큰 어려움을 겪게 되고, 심한 경우 도산할 위험도 있다.

보통 미국 3대 지수라고 하면 다우존스, S&P500, 나스닥을 말한다.

다우존스(Dow Jones) : 다우 존스 산업평균지수는 월스트리트 저널 편집자이자 '다우존스앤컴퍼니'의 공동창립자 찰스 다우가 창안한 주가 지수로서 DJIA, Dow 30 또는 비공식적으로 다우 지수 등으로도 불린다. 오늘날 다우지수는 미국의 증권거래소에 상장된 30개의 우량기업 주식 종목들로 구성(위키백과).

S&P500 : S&P 500은 미국 신용평가사 S&P Global이 미국에 상장된 시가총액 상위 500개 기업의 주식들을 모아 지수로 묶어 주기적으로 수정하고 발표하는 미국의 3대 증권 시장 지수 중에 하나(위키백과).

나스닥(NASDAQ) : 나스닥 종합주가지수는 나스닥에 상장된 전분야 모든 기업의 주가지수(위키백과). 많은 IT 기업들이 나스닥에 상장되어 있어 보통 IT 우량주식을 추종하는 지수이라고 볼 수 있다.

요약하면 다우존스는 전통 우량주 30개, S&P500은 미국 전체 섹터 우량주 500개, 나스닥은 IT 우량주를 모아 놓은 지수라고 할 수 있겠다. 그런데 위 세가지 지수 외에 러셀2000이라는 지수가 하나 더 있는 것을 모르는 사람이 많다. 국내에서는 잘 표시하지 않지만 해외 마켓 스크리닝(Screening) 사이트에 들어가면 항상 3대 지수와 함께 러셀2000이 표시되는 것을 볼 수 있다. 러셀 2000 지수는 Russell 3000 Index에서 가장 작은 2,000개의 주식을 구성하는 소형주 미국 주식 시장 지수이다. 소형주인 만큼 시가총액도 3대 지수 편입 종목과는 비교할 수 없을 만큼 적다. 일반적으로 3대지수 편입종목 중 시가총액이 낮은 기업도 최소 1B(10억 달러)가까이 되는 반면, 러셀 2000 지수에서 시가 총액이 가장 높은 종목의 시가 총액은 120억 달러에 그친다(한화 13조원).

즉, 러셀 2000 지수에 포함된 기업들은 주로 시가총액이 1억 달러 정도인 소형주들이다. 이러한 기업들은 규모가 작고 수익성 및 현금 창출 능력이 낮은 만큼, 베타 값(시장 평균 대비 변동성)이 높아 경제, 정치, 사회 환경의 변화에 따른 주가 등락이 심하다. 특히 미국 경제와 밀접한 관련이 있는데, 이는 안전한 장기 투자보다는 변동성이 높아 짧은 기간 내에 큰 수익을 낼 수 있는 기회를 제공한다. 코로나19 팬데믹 동안의 양적 완화 기간에는 이러한 소형주들의 가치가 기업 규모나 실적 대비 크게 상승했다. 대표적인 예로 바이오 기업 노바벡스, 태양광 업체 썬런, 수소연료 전지업체 플러그 파워, 온라인 주택 구매 플랫폼 오픈도어, 카지노 운영업체 시저스 엔터테인먼트 등이 있다. 이들 기업의 주가는 2020년부터 2021년 사이 팬데믹 이전에 비해 5-10배 가까이 급등했다. 예를 들어, 실내 운동기구 제조업체 노틸러스의 주가는 1년간 950%나 상승했다. 그러나 양적 완화가 종료되면서 이러한 주가는 지속적으로 하락하여 팬데믹 이전 수준으로 돌아갔다.

러셀 2000 지수의 주가 하락 원인 중 하나는 양적 긴축에 따른 기준금리 상승이었지만, 또 다른 중요한 요인은 주가가 상승한 뒤에 주식 가격이 떨어질 경우 수익을 얻는 공매도 포지션의 증가도 있었다. 공매도 투자자들은 실적 악화가 지속되며 하락 추세에 빠진 종목을 주로 타겟으로 삼는다. 매수세가 약해져 거래량이 감소하면, 이들은 반등 시점에 공매도 포지션을 취해 숏 셀링(Short Selling)을 통해 위험을 최소화하면서 수익을 얻을 수 있다. 이러한 소형주들은 실물경제와 금융 환경에 민감하게 반응하기 때문에, 나머지 3 대 주요 지수가 2022 년과 2023 년에 반등하는 동안 러셀 지수는 2023 년 10 월에 52 주 신저점을 기록했다. 인플레이션은 정점을 찍고 주춤하긴 했지만 여전히 높은 수준을 유지하고 있었고, 언론은 계속해서 경기 침체 가능성에 대해 경고하고 있었다. 많은 개인 투자자들이 러셀 지수가 바닥을 찍었다고 생각하고 진입했지만, 결과적으로 바닥 밑 지하실을 보게 되었다.

2023 년 12 월이 되면서 경제 상황은 변화의 조짐을 보였다. 이전까지 5%에 육박하던 인플레이션 압력은 점차 감소하여 물가상승률이 3%대로 하락했다. 이는 물가 상승 자체가 멈춘 것이 아니라 상승 속도가 느려진 것이므로, 여전히 인플레이션에 대한 우려는 남아있었지만, 이전보다 상황이

개선된 것은 분명했다. 더불어, 미 연방준비제도는 기준금리를 5.5%까지 인상한 뒤 2023년 7월부터 금리를 동결했다. 연준은 물가 상승이 지속되지 않는 한 추가적인 금리 인상은 없을 것이라고 밝혔다. 이러한 금리 인상 중단과 물가 하락 추세에 힘입어, 시장은 드디어 금리 인하에 대한 기대감을 가격에 반영하기 시작했다.

숏 커버(Short-Cover) 장세

SVB 은행 파산 사태 이후 침체 되어있던 금융 섹터와 임상시험 결과에 따라 주가가 크게 변동하는 바이오 섹터, 그리고 수익성이 낮았던 친환경 관련 섹터에 매수세가 몰리기 시작하며, 이들 섹터의 관련 기업 주가가 상승세를 보였다. 이러한 주식들은 발행된 주식 수량이 상대적으로 적어, 소규모 자본 유입만으로도 주가가 큰 폭으로 움직일 수 있다. 이에 따라, 공매도 포지션을 취했던 투자자들이 빠르게 공매도 청산에 나서며 숏 커버링을 진행했는데, 이는 주가 상승에 더욱

탄력을 부여하는 효과를 일으켰다. 많은 사람들이 주가가 크게 오르는 소형주들의 차트를 보고 '바닥일 때 조금만 사 두었더라면 큰 수익을 얻었을 텐데'라며 아쉬워했지만, 실제로 큰 이익을 본 투자자는 많지 않았다. 주가가 눈에 띄게 상승하기 전까지는 관심 밖에 있었기 때문에, 지속적으로 매수 타이밍을 관찰하지 않은 투자자들은 이익을 얻기 어려웠다. 2023년 10월 중순부터 2달 동안, 러셀 2000 지수는 조정 없이 25% 상승했으며, 지수 내 개별 주식들은 50%에서 최대 200-300%까지 상승했다.

금리 인하가 논의되기 시작한 후에도, 많은 투자자들은 큰 폭으로 상승한 종목에 대한 매수에 조심스러워했다. 지난 1년 동안 시장의 바닥을 노리며 투자한 사람들이 큰 손실을 입은 것을 목격했기 때문이다. 필자도 많은 투자자들이 거짓 반등에 속아 막대한 금액을 투자했다가 시장을 떠나는 상황을 종종 보았다. 상승 추세로 전환되었다 하더라도, 시가총액이 작은 종목들은 변동성이 크고, 언제든 조정이 발생할 수 있다. 또한, 테이퍼링 시작 이후 이러한 섹터의 기업들에 대한 '수익성 없는 기업은 가치가 없음'이라는 인식이 강화되었다. 이것이 필자가 다양한 종목을 관찰하고 특정 종목에만 집중하지 말라고 조언하는 이유다. 적은 수의 종목에만 투자하면, 기회가 왔을 때 이를 포착하기 어렵다. 머리로는 비인기 종목에 투자해야 한다는 것을 알지만, 실제로 실행하기는 어렵다. 지속적인 경험을 통해 편견을 극복해야 한다. 필자는 소형주들이 1 차로 크게 상승하는 것을 확인한 뒤 분할 매수를 시작했다. 추세가 확실히 전환하는 징후를 포착했기 때문이다. 내가 매수한 시점이 실제 바닥이 아닐 가능성이 높다. 객관적으로 계속 하락하던 주식이 내가 매수하자마자 반전하여 상승할 확률 보다는 그렇지 않을 확률이 더 높지 않겠는가?

필자는 비트코인에 대한 기술적 지식이 전혀 없으며, 메이저 코인과 알트 코인 간의 상관관계도 잘 알지 못한다. 투자 관점에서도 비트코인에 대해서 중립적인 견해를 가지고 있다. 그러나 분명한 사실은 이 시기에 '비트코인에 자금이 유입되기 시작했다'는 것이다. 많은 사람들이 비트코인 상승의 원인으로 반감기나 비트코인 ETF 의 출시 승인을 들었지만, 필자는 이러한 요인들이 실제 상승의 주된 이유라고 보지 않았다. 중요한 것은 어딘가에서 자금이 유입되어 비트코인 가격을 상승시키고 있다는 사실이다. 자금의 출처는 중요하지 않다. 자금의 유입을 근거로 필자는 비트코인 관련 주식을 매수하기로 결정했다. 직접 비트코인을 매수하기보다는, 비트코인 거래 플랫폼과 비트코인 채굴 관련 주식에 대한 연구를 통해 그들의 매출 구조와 보고서를 검토한 후 투자를 진행했다. 비트코인 가격이 상승한다는 가정 하에, 필자는 자신에게 익숙한 미국 주식 시장에서 관련 주식을 선택했다. 이미 50%넘게 오른 종목들이 많았으나 과감히 매수했다. 그리고 코인 채굴 관련 주식은 이후 50~100%가량 추가로 상승했다. 만약 당신에게 자금과 시간이 넉넉하지 않다면, 바닥을 잡고 하염없이 기다리는 투자보다는 이미 상승 추세에 있는 종목에 투자하는 것이 더 쉬운 투자이다.

금리 인하 이후의 미래

앞으로 이 금리인하 재료가 얼마나 더 소형주나 비트코인 관련 종목을 상승시킬 지는 알 수 없다. 하지만 적어도 당분간은 기업 실적보다는 물가와 금리에 관련된 거시경제 이슈를 더 관심있게 지켜봐야 할 것이다. 하락하던 물가가 상승한다는 시그널이 포착되어 금리 인하 인하가 늦춰질지도 모른다는 우려를 시장이 가격에 반영하게 될 경우, 금리에 많은 영향을 받는 소형주식 및 비트코인 같은 투자 자산들은 개별 실적과 무관하게 큰 폭으로 조정을 받거나 심할 경우 상승분을 모두 반납하고 하락 채널로 되돌아갈지도 모른다. 시장이 현재 2024년에 6회 금리인하 시행을 선반영하고 있기 때문이다. 이는 상당히 공격적인 베팅으로, 앞으로 발표되는 물가 지표가 계속 빠른 속도로 하락해야만 한다. 고금리 상태 초기에는 과거에 축적해 둔 현금과 자산으로 버틸 수 있다. 그래서 고금리 초기에는 그 영향을 잘 체감하지 못한다. 그러나 시간이 갈수록 고금리의 스트레스가 경제를 압박한다.

앞으로 금리 인하가 소형주나 비트코인 관련 종목의 상승을 얼마나 더 이어갈지 예측하기는 어렵다. 아마도 2024년은 개별 기업의 실적보다는 물가와 금리와 같은 거시경제적 요인들에 의해 주가가 좌우될 가능성이 높다. 금리 인상이 종료되었기 때문에 시장은 금리 인하에 초점을 맞출 것이기 때문이다. 만약 물가 상승 신호가 포착되어 금리 인하가 지연될 가능성이 커진다면, 시장은 이를 반영하여 가격을 조정할 것이다. 이 경우, 금리 변동에 민감한 소형주식과 비트코인과 같은 투자 자산들은 개별 실적과 관계없이 큰 폭의 조정을 받거나 심지어 상승분을 모두 반납하고 하락세로 돌아설 수 있다. 특히 시장은 현재 2024년에 6회의 금리 인하를 반영하고 있는데, 이는 상당히 공격적인 전망이다. 물가 지표가 지속적으로 빠르게 하락해야만 가능한 시나리오이다. 아마도 연준은 경제 지표를 예의주시하며 조심스럽게 금리 하락 횟수를 조율할 것이다.

고금리 환경 초기에는 기업들이 축적한 현금과 자산으로 어느 정도 버틸 수 있지만, 시간이 경과함에 따라 고금리가 경제에 미치는 부담은 점차 증가한다. 대출금의 이자율 상승과 자동차 리스 비용 증가로 인해 소비자 구매력이 감소한다. 이러한 구매력 감소는 기업 매출의 하락으로 이어지고 재무 상태가 악화된다. 은행의 대출 심사가 강화되면서 현금 유동성이 경색되고, 결국 일부 기업들은 도산에 이르게 될 수 있다. 그러나 2024년 현재, 물가는 점차 하락하며 경제 지표는 크게 악화되지 않고 있다. 많은 경제학자들이 적정 수준으로 여기는 약 2%의 물가 상태를 향해 가고 있으며, 이 추세가 지속된다면 미 연준은 낮아진 물가를 고려하여 금리를 인하할 수도 있다. 이 경우, 시장은 너무 뜨겁지도 차갑지도 않은, 적당히 안정적인 경제 상태를 유지할 것으로 보인다.

지난 3년 동안의 코로나19 팬데믹과 그 이후의 금융 환경은 마치 교과서에 나올 법한 금리 사이클의 실전 사례였다. 예측할 수 없었던 팬데믹으로 인한 경제 위기, 이를 극복하기 위한 제로금리 정책, 그리고 그 뒤따른 인플레이션과 급격한 금리 인상까지, 일반적으로 10년 주기로 발생하는 금리 인상-인하 사이클을 투자자들은 단 3년 만에 경험했다. 시장이 가격을 결정하는 주요 지표는 각 시기에 따라 달랐다. 금리 인하 기간에는 미래의 수익 가능성이 중요했고, 금리 인하가 마무리될 무렵에는 금리 인상의 가능성, 금리 인상 기간에는 경제 지표와 기업 실적, 그리고 금리 인상이 마무리될 무렵에는 다시 금리 인하 가능성이 시장 가격에 반영되었다. 투자에는 정답이 없으며, 각각의 시기와 상황에 맞는 다양한 요소들을 고려해야 한다.

시장의 유동성은 끊임없이 움직이고 있으며, 유동성의 움직임을 잘 파악한 투자자들은 꾸준히 수익을 얻을 수 있었을 것이다. 반면에, 타이밍을 잘못 잡아 크게 이득을 보았다가 큰 손실을 겪은 투자자들도 있을 것이다. 그러나 투자에서 가장 중요한 것은 시장을 떠나지 않고 지속적으로 참여하는 것이다. 투자는 마치 바다 항해와 같다. 한 번 출항하면, 침몰하지 않는 한 계속해서 나아가야 한다. 시장의 파도를 넘고, 변동성을 견디며, 때로는 이를 활용해야만 자본주의 시장에서 생존할 수 있다. 이러한 과정을 꾸준히 반복하면, 결국에는 노동으로부터의 해방이라는 목표에 도달할 수 있을 것이다.

제3장 시장에서 살아남기

3-1. 개인 투자는 왜 어려울까

잃기만 하는 투자자들

개인 투자자들은 장기간의 주식 투자에서 대부분 손실을 본다. 심지어 코로나 팬데믹 기간의 경제 호황 동안에도 2021 년 한 해 동안의 평균 수익률은 국내주식에서 0.43%, 해외주식에서는 1.53%에 불과했다(대형증권사 A 의 연령별, 국가별 고객계좌 수익률 리포트). 반면에 단순히 미국의 대표적인 S&P500 지수에 투자하여 내버려둔 경우, 25%에 달하는 수익률을 얻을 수 있었다. 그렇다면 왜 개인 투자자들의 평균 수익률이 낮은 것일까? 대부분의 초보 투자자들도 주식 관련 서적이나 강의 영상을 보며 어느 정도의 지식을 가지고 있음에도 불구하고 말이다. 실제로 필자의 주변에서도 주식을 도박처럼 여기거나 이상한 잡주(싸구려 소형 주식)에 투자하는 사람들은 그리 많지 않다. 필자 주변의 주식 투자자들도 대부분 취업 후에 월급을 받기 시작해, 안정적인 현금 흐름이 확보되고 나서 주식 투자에 관심을 갖는 경우가 보통이다.

나름대로 스스로 주식투자에 대해 알아보고 "우량한 주식에 장기투자해라", "경제적 해자가 높은 기업에 투자해라", "싼 가격에 사라"는 말 정도는 많이 들어보았을 것이다. 실제로 위 말대로 하면 최소한 잃지 않는 투자를 할 수 있다. 그렇게 어려워 보이는 말 같지도 않다. 그런데 왜 개인 투자자의 수익률 평균이 시장 평균을 밑도는 걸까? 그들은 마켓을 지나치게 단순화해서 말한다. 마치 '국영수 중심으로, 교과서 위주로, 예습 복습 철저히' 같은 것이다. 듣기에는 쉬워 보이나 하나하나 뜯어보면 궁금한 부분이 한두가지가 아니다.

대부분의 개인 투자자들은 주식 투자에 대해 어느 정도의 기본 지식을 갖추고 있을 것이다. 예를 들어, '장기적으로 우량한 주식에 투자하라', '경제적 해자가 높은 기업에 투자하라', '저평가된 주식을 매수하라'와 같은 조언은 흔히 들어본

이야기일 것이다. 실제로 이러한 조언에 따라 투자한다면, 최소한 손실을 피할 수 있는 투자를 할 가능성이 높다. 이러한 조언은 어려워 보이지 않으며, 실행 가능해 보인다. 그런데 왜 많은 개인 투자자들의 수익률이 시장 평균에 미치지 못하는 것일까? 복잡한 주식시장을 과도하게 단순화하는 경향이 있기 때문이다. 이것은 마치 '수학, 국어, 영어를 중심으로 공부하고, 교과서를 중점적으로 다루며, 예습과 복습을 철저히 하라'는 조언과 유사하다. 이러한 조언은 듣기에는 쉬워 보이지만, 막상 실제로 적용하기에는 너무 포괄적인 조언이다.

경험은 부족하고, 매매는 쉬워지고

"싼 가격에 사라" 쉬운 말 같지만 어느 정도까지 조정받아야 싼 가격인가? 예를 들어 어떤 우량주가 큰 악재로 주가가 고점 대비 30% 하락했다면, 살만한 가격인가? 주식시장에서는 이미 하락세인 종목이 추가로 더 하락하는 경우가 많으며, 이러한 추가적인 하락은 매우 빈번하다. 하락의 이유가 미디어를 가득 덮기 때문이다. 주가가 떨어질수록 투자자들

사이의 공포감은 증폭되고, 뉴스와 커뮤니티는 부정적인 정보로 가득 차게 된다. 이러한 상황에서 가격의 반전을 기대하는 것은 어려운 일이다. 가격 하락으로 인한 손실을 어느 정도까지 감수해야 하는지, 언제 매도해야 하는지는 개인의 투자 전략에 따라 다르다. 손실을 경험한 후에도 이전과 같은 평정심을 유지하고 안정적인 주식을 매매하는 것이 중요하다. 감정에 휘둘리지 않고 합리적인 결정을 내리는 것이 장기적인 수익률에 긍정적인 영향을 미친다. 손실에 대한 인간의 감정적 반응은 이익에 대한 반응보다 강렬할 수 있지만, 이러한 감정이 투자 결정을 좌우해서는 안 된다.

시간은 예전이나 지금이나 같은 속도로 흐르는데, 현대 기술은 투자 결정 과정을 압축시키고 가속화시켰다. 예를 들어, 장기 보유 목적으로 매입한 주식이 하루 만에 10% 하락했다고 상상해보자. 주식 애플리케이션은 즉각적으로 이러한 변화를 알리고, 손쉽게 관련 정보와 투자자 반응을 확인할 수 있게 한다. 이런 상황에서 투자자는 즉시 매도할지, 아니면 기다릴지 결정해야 한다. 지문 인증으로 증권사 앱을 열고, 실시간으로 급락하는 주가를 보면 매도 욕구에 휩싸일 수밖에 없다. 순간의 결정으로 손실을 줄일 수 있을 거라는 생각이 들기 때문이다. 이러한 과정은 단 1-3분이면 충분하다. 반대로, 급등하는 주식을 보고 성급하게 매입하는 경우도 흔하다. 이러한 행동은 종종 본인이 설정한 원칙을 벗어난 결정으로 이어져 정의되지 않은 매매 가격으로 인해 큰 손실을 입을 위험이 있다. 이러한 매매는 단기간 몇 번은 좋은 결과를 낼 수도 있겠으나, 장기적으로는 불확실성을 높이고 충동적인 매매 빈도가 높아져 결과적으로 투자자는 손실을 입게 된다.

비싼 수수료

금융 환경과 정보 접근성이 빠르게 발전했음에도 불구하고, 기업의 근본적 가치를 나타내는 요소들은 시간이 흘러도 크게 변하지 않았다. 매출, 배당, 성장률 등이 그 예시다. 과거에도 주요 주도 섹터, 경제 사이클은 존재했고, 오늘날에도 이는 변함없이 중요한 요소다. 증권사와 거래소와 같은 투자 플랫폼은 거래 수수료를 주요 수익원으로 삼는다. 이 때문에 이들은 디지털화 된 자사 플랫폼 안에서 투자자의 거래를 촉진하기 위한 여러 전략을 사용한다. 종목 추천, 수수료 할인,

실전 투자 대회 등은 모두 투자자의 거래량을 늘리기 위한 유인책이다. 일반적으로 모든 상품을 거래할 때에는 수수료가 발생하며, 적게는 0.1%에서 많게는 1%의 수수료를 지불한다.

투자금이 1 천만원이라면 5~10 만원이고, 1 억원이라면 50~100 만원에 해당하는 큰 돈이다. 자본금이 천만 원이든, 일억 원이든, 수수료가 차지하는 비중은 상당하다. 이 비용은 투자 수익을 얻기 위한 여정에 있어서 큰 부담이 될 수 있다. 이러한 비용과 함정을 피하며 수익을 창출하는 것은 매우 어려운 일이다. 시장 동향을 지속적으로 파악하고 자신만의 투자 규칙에 따라 일관된 방식으로 매매하는 것이 필수적이다. 이는 마치 걸음마를 배우는 아이처럼 차근차근 접근해야 하는 과정이다. '하루아침에 이루어지는 일은 없다'는 고전적인 격언이 여기에 해당된다. 필자의 투자 경험을 직접 전수할 수는 없지만, 수익을 내기 위해 본능에 반하는 결정을 내려야 하는 경우가 많다는 사실을 강조하고 싶다. 이러한 깨달음을 실제 행동으로 옮기기 위해서는 의식적인 노력이 필요하다. 필자가 투자하며 깨닫게 된 직장인 개미 투자자가 시장에서 손해를 최소화할 수 있는 핵심 원칙 몇 가지는 다음과 같다.

예측하지 말고 대응하라

많은 투자자들이 시장을 예측하려고 한다. 작게는 투자한 기업의 실적부터 넓게는 금리와 환율, 그리고 경기침체 여부를 '예측'한다. 예를 들면 이런 것이다. "이번 분기 실적은 나쁠 리 없어. 그러니까 주가가 오를 거야", "내년에 금리인상을 한다고 했으니 나스닥은 조정을 크게 받겠지?"

투자 환경을 연구하고 시장 추세를 분석하는 것은 중요한 일이다. 이를 통해 현재 시장의 관심사와 투자 포인트를 이해할 수 있다. 하지만, 중요한 점은 시장 분석과 가격 변동은 서로 독립적이라는 것이다. 때때로 상황에 대한 예측은 정확했지만 가격에 대한 예측이 틀리면 '시장에 문제가 있다'고 판단한다. 예를 들어, 기업의 분기 실적이 좋을 것으로 예상되어 이를 정확히 예측했음에도 불구하고, 시장이 이미 이를 반영하여 주가가 하락할 수 있다. 반대로, 예상과 달리 실적이 부진했음에도 불구하고, 다음 분기의 긍정적인 전망으로 인해 주가가 상승할 수도 있다. 2022년, 2023년 금리인상을 예측하고 많은 이들이 숏(short)에 베팅했다. 서학개미라 불리는 국내 미국주식 투자자들의 매수 순위에는 SQQQ(나스닥 지수 3배 숏), SOXS(반도체 지수 3배 숏)과 같은 종목들이 항상 상위권에 있었다. 2022년 금리 상승 초기에는 러시아와 우크라이나의 전쟁으로 인한 에너지 가격 상승이 겹쳐, 시장은 크게 하락했고, 이에 베팅한 투자자들은 큰 수익을 얻었다. 그러나 2022년 말부터 시장은 경기 침체에 대한 우려로 인한 금리 인하를 반영하여 주가는 회복세를 보이기 시작했다. 이에도 불구하고, 숏 포지션을 취한 투자자들은 금리 상승이 지속될 것이라고 믿으며 시장의 반등 추세를 무시하고 계속 마켓 하락에 베팅했다.

그러나 잠깐의 반등인 줄 알았던 상승은 이후 1년간 계속되어 2022년 전고점을 탈환하고 2023년 하반기까지 쉼 없이 상승했다. 이 기간동안 하락에 베팅하여 이익을 본 대부분의 사람들은 큰 손실을 보았다. 레버리지 종목 특성상 크게 오르거나 내릴 경우 괴리율과 롤 오버(Roll Over : 선물 만기일이 도달했을 때, 실제 물건을 받지 않기 위해서 조금 더 만기를 가지고 있는 선물로 교체하는 작업) 비용이 더해져 실제 지수 차트보다 더 큰 손해를 보게 되기 때문이다. 지수가 30%

하락했을 때 회복까지는 50%의 상승이 필요하지만, 3배 레버리지 기준으로는 90%가 하락하여 회복까지 10배의 상승이 필요하다. 더군다나 자신이 1년동안 투자했던 방식을 180도 바꾸어 증시 상승에 베팅한다는 것은 인간의 생존 본능 상 불가능에 가깝다. 투자 커뮤니티에서는 하락에 베팅한 많은 사람들의 힘들고 억울하다는 글들이 줄줄이 올라왔다. 왜 금리가 상승하는데 주식이 하락하냐는 것이다. 자기가 옳고 시장이 비이성적이라고 외쳐 댔지만 어쩌겠는가? 가격이 상승했는데. 물론 시장이 크게 반등한 데에는 경기 침체로 인한 금리인하 기대감 때문이라는 설명이 나중에 따라붙었지만 다 결과론 적인 이야기이다. 경제 지표가 얼마나 나빠져야 금리 인하 기대감으로 자금이 시장에 유입되는 걸까? 경제 지표는 정확히 어떤 데이터를 말하는 것일까? 물가? 실업율? 고용율? 임금? 그리고 그 모든 것을 정확히 맞췄더라도 그 상승이 얼마나 갈 지 알 수 있을까?

답은 '모른다' 이다. 경제는 이론과 달리 복잡계의 세계이다. 앞서 예시로 든 '금리가 오르면 주가가 하락한다' 라는 지식으로 주가 하락에 모든 자금을 베팅하는 것은 무균실에서 이뤄진 실험 지식을 토대로 야생의 정글에 뛰어드는 것과 같다. 이름모를 화려한 벌레들과 변화 무쌍한 날씨, 그리고 한치 앞을 볼 수 없는 우거진 밀림… 투자 시장은 복잡계이다. 투자 시장은 일개 투자자가 알지 못하는 온갖 변수들이 서로 영향을 미치고 있다. 평소에는 수면 밑에서 잠잠하게 있기 때문에 관심이 없던 변수가 어느 날 무언가를 계기로 주가 변동성의 기폭제가 될 수 있다.

한 예로 2023년 초부터 갑자기 주식 시장의 하루 변동성이 매우 커지기 시작했다. 일시적인 자금의 이동만으로는 설명하기 어려운 긴 기간동안 일어난 일이었다. 그러나 누구도 이 증가한 변동성에 대한 뚜렷한 원인을 찾아내지 못했고, 한참 지나서야 당일 만기 선물 옵션 전략(0dte) 거래자들에 의한 장중 변동성 폭발이었다는 것이 드러났다. 금리 인상으로 유동성이 쪼그라든 환경에서 단기 수익의 극대화를 위해 당일 청산되는 하루짜리 만기 옵션 거래의 거래량이 폭발적으로 늘어났고, 당시 전체 옵션 거래량 중 0dte 비중이 44%까지 치솟았다. 그러다 보니 하루에도 종가-고가 차이가 3%까지 차이나는 경우도 발생했고, 현물 주식 시장은 선물 지수에 따라 가격이 춤을 추었다.

나스닥 기준 -2%로 갭하락 하여(시초가가 전일 종가보다 하락하는 경우) 시작한 시장이 장 마감 즈음에 시초가로 회복한 경우가 있는가 하면, 서서히 올라 +2%까지 상승한 지수가 장 마감 즈음에 거짓말같이 하락하여 시초가로 돌아오는 경우도 있었다. 이런 기간이 한 달 넘게 지속되며 횡보하자 상승과 하락의 이유를 찾던 개미들은 가짜 상승과 가짜 하락에 속아 뇌동 매매를 반복했다.

예시로 소개한 0dte 뿐만 아니라 시장에는 언제나 예상치 못했던 돌발 변수들이 도처에 깔려 있다. 일개 개인이 이러한 리스크 요인을 모두 알고 대처하는 것은 사실상 불가능에 가깝다. 그렇다면 개인은 어떻게 대응해야 할까? 질문 속에 답이 있다. 대응해야 한다. '예측'이 아니라. 예측은 당연히 틀릴 수 있다. 미래의 자산 가격을 모두 맞추는 사람이 있다면 그 사람은 신이다. 주식 시장에서 대중이 접할 수 있는 한정된 정보를 가지고 어떤 결론을 내린다면 맞출 확률보다는 틀릴 확률이 높은 것이 당연하다. 설사 예측이 틀리더라도 가격은 오르는 경우도 많다. 그러니 '대응' 하자. 변화하는 가격과 상황을 보고 대응하는 것은 개인 투자자들도 충분히 할 수 있다. 직접 시황을 체크하고 능동적으로 움직이면 된다. 오히려 시간 제한과 수익률의 압박에 시달리는 전문 투자자보다 더 잘 대응할 수도 있다. 단, 그러기 위해서는 아래 두 가지가 필요하다.

상황 별 시나리오 세우기

예측한 상황에 대한 다양한 시나리오가 필요하다. 세상은 단판 승부로 승리와 패배가 명확히 나눠지 않기 때문에 100% 맞거나 100% 틀리는 경우는 별로 없다. 애플의 실적발표를 보고 주식을 매수하려고 한다고 해 보자.

<기업 실적발표> 기업 실적이 좋아 보이더라도 각 항목별 세부 사항을 면밀히 검토해야 한다. 지속적으로 양호한 성과를 낼 수 있는지, 주요 사업 부문이 건재한지, 그리고 내부자들이 주식을 매도하지 않았는지 등을 확인하는 것이 중요하다. 그럼에도 불구하고, 이 모든 조건이 충족된다 해도 주식 가격은 상승할 수도, 하락할 수도 있다. 주가의 움직임이 기대와 다르다고 해서

부정적으로 생각하지 말자. 자산 가격은 상승과 하락을 반복하며, 우리는 이에 맞춰 대응해야 한다. 모든 면에서 긍정적이지만 주가가 하락하는 경우, 점진적으로 분할 매수하는 전략을 고려하는 것이 좋다. 가격이 보합세를 보이거나 상승하기 시작할 경우, 높은 비중을 실어 첫 매수를 고려하는 것이 바람직하다.

필자가 한창 에너지 주식에 투자할 때 포트폴리오에서 높은 비중을 차지했던 캐나다 1위 정유회사인 '선코어 에너지(티커 : SU)'를 예로 들어보겠다. 선코어 에너지는 유전 탐사(업스트림), 원유 채취 및 정제(미드스트림), 유통 (다운스트림)까지 모두 담당했던 종합 정유회사이다. 기본적 으로 유가에 따라 실적이 크게 좌우되며, 그 외 소유하고 있는 유전의 품질이나 잔여 매장량, 생산 기술, 그리고 유가 폭락에 대비한 헷지 포지션이 영향을 미친다. 2020년 상반기부터~2022년 하반기까지, 2년 반동안 선코어 에너지에 투자하며 발생한 주요 시기별 실적 발표 결과와 필자의 매매 방향은 다음과 같다. 필자가 에너지 부문에 집중 투자했을 당시, 포트폴리오에서 높은 비중을 차지했던 캐나다 최대 정유회사 '선코어 에너지(티커 : SU)'의 사례를 살펴보자. 선코어 에너지는 유전 탐사(업스트림), 원유 채취 및 정제(미드스트림), 그리고 유통(다운스트림)을 아우르는 종합 정유회사이다. 선코어 에너지의 실적은 주로 원유 가격에 의해 영향을 받으며, 그 외에 소유한 유전의 품질, 잔여 매장량, 생산 기술, 그리고 유가 하락에 대한 헤지 전략 등도 중요한 역할을 한다. 2020년 상반기부터 2022년 하반기까지 약 2년 반 동안 선코어 에너지에 투자하며 겪은 주요한 실적 발표와 그에 따른 필자의 투자 전략은 다음과 같다.

2020.5 팬데믹 직후 유가 폭락 당시 : 실적-나쁨, 가이던스-나쁨, 주가-반등 후 하락, 매매 : 분할매수

실적도 나쁘고 가이던스도 좋지 않았으나, 이미 주가가 크게 떨어진 상태에서 몇달간 횡보하는 중이었고 추가적인 악재가 나오기 힘들다고 판단하여 분할 매수로 접근했다.

2020.12 코로나 백신 정식 승인 이후 : 실적-나쁨, 가이던스-상향, 주가-상승, 매매 : 매수

실적은 여전히 좋지 않았지만 백신 기대감으로 가이던스가 상향되었고 주가도 크게 상승했다. 주가는 많이 올랐으나 추가 상승 여력이 있다고 판단하여 추격 매수했다.

2021.6 코로나 확진자 감소, 경제 회복기 : 실적-좋음, 가이던스-상향, 주가-하락, 매매 : 매도

실적도 좋고 가이던스도 좋았으나 주가는 하락했다. 팬데믹 직후 상황과 정반대로, 가격이 많이 오른 상태였기 때문에 악재에 더 예민하게 반응하는 시기였다. 이 때 매도하여 수익을 실현하고 정유회사의 비중을 많이 줄였다.

2022.3 러시아 우크라이나 침공 시기 : 실적-좋음, 가이던스-상향, 주가-상승, 매매 : 매수

예상치 못한 러시아의 전격적인 우크라이나 침공으로 유가가 $100 넘게 치솟아 실적이 최고조에 달했다. 불안정한 국제 정세를 근거로 가이던스도 큰 폭으로 상향되었으며, 여러 투자기관들도 앞다투어 목표주가를 상향했다. 모든 자산군이 하락하는 동안 에너지 섹터 혼자 압도적으로

아웃퍼폼(Outperform)하던, 그야말로 악재를 찾아볼 수 없는 시기였다. 필자 역시 이 시기에 추가로 큰 비중을 실어 매수했다.

<u>2022.9 경기침체 우려 시기 :</u> 실적-중립, 가이던스-하향, 주가-하락, 매매 : 매도

러-우 전쟁 초기의 유가가 한풀 꺾여 기업의 실적은 좋지 않았으며, 가이던스 역시 하향 조정되었다. 주가도 하락했으나, 이전 챕터에서 언급했듯 이 시기 필자는 피크를 찍고 유동성이 빠져나가는 에너지 섹터에 미련을 버리지 못했고 반 년간의 하락장 동안 큰 손실을 입었다.

이 사례에서 볼 수 있듯이, 기업 실적에 중대한 영향을 미치는 이벤트들은 개인이 예측하기 어려운 영역이다. 운 좋게 정확한 예측을 하더라도 주가가 이를 어떻게 반영할지는 불확실하다. 따라서 투자자는 결과를 확인하고 시장의 반응(가격 변동)을 관찰한 후에 거래하는 것이 보다 안전한 전략이다. 이 방식으로는 자산 가격의 최저점부터 최고점까지의 모든 이익을 얻을 수는 없지만, 방향성을 파악한 후 포지션을 결정하면 리스크에 비해 상당한 수익을 얻을 수 있다. 시장의 추세를 파악하지 않고 모든 자본을 투자하는 것은 앞이 보이지 않는 상태에서 장애물 경주를 하는 것과 같다. 시장의 방향성을 파악한 후 포지션을 결정하는 것이 바로 '적절한 대응'이다. 다양한 시나리오를 상상하고, 사건이 발생했을 때 당황하지 말고 대응하라.

<경제 지표> 2022 년, 2023 년의 화두는 경제 지표, 그 중에서도 '실업율'과 '물가' 데이터였다. 이미 금리인상이 고점에 다다른 상황에서, 미 연준의 가장 중요한 두가지 목표인 '완전고용'과 '인플레이션 억제' 이 두 가지 데이터에 따라 향후 기준 금리의 방향이 결정될 것이기 때문이다. 시장은 고용 데이터가 좋게 나오거나(경기 호황) 물가 데이터가 높게 나오면(인플레이션) 연준은 오랫동안 고금리를 이어갈 것이고, 고용 데이터가 나쁘게 나오거나(경기 침체) 물가 데이터가 낮게 나오면(디스인플레이션) 연준은 경기를 살리기 위해 금리 인상을 멈추고 금리를 인하할 것이라고 생각했다.

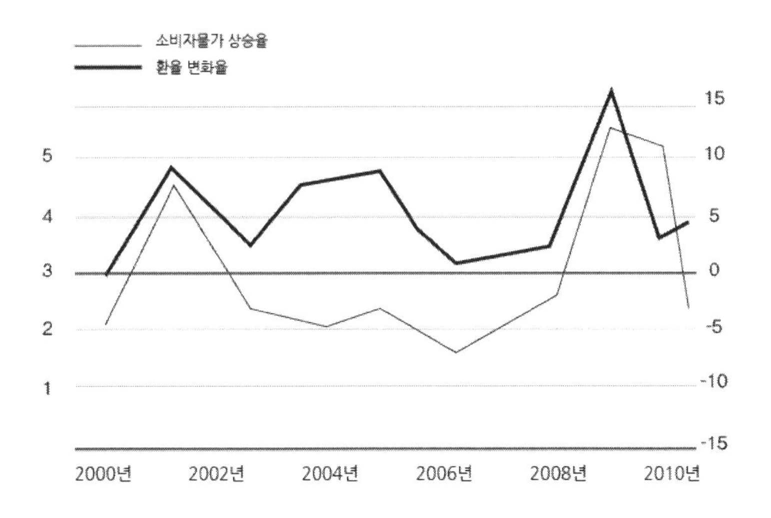

즉, 시장이 상승하기 위해서는 실업율이 높아지면서 시장이 침체되고, 물가가 낮아져야 했다. 보통 실업율이 높아지면 소비자의 구매율이 낮아지고 수요가 감소하고, 이에 따라 물가도 떨어지기 때문에 많은 투자자들이 '실업율 증가와 물가 하락은 함께 움직인다' 라고 생각했고, 하락하는 물가를 보며 빠른 금리 인하에 베팅했다(하락폭이 큰 주식 매수). 물가가 하락하면 고금리를 오래 유지할 필요가 없기 때문이다. 그런데 뒤이어 발표되는 실업율 데이터는 모두의 예상을 깨고 완전고용에 가까운 숫자를 보여주었다. 그러자 미 연준

위원들은 공식석상에서 ”고용이 좋으니 급하게 금리를 인하할 필요가 없다” 라는 취지의 발언을 하였고, 금리인하에 대한 기대감으로 반등했던 주식 시장은 재차 하락했다. 결과적으로 투자자들의 금융 환경 예측은 절반만 맞췄고(물가 하락은 맞췄으나 실업율 상승 예측은 틀렸다), 자산 가격 예측은 완전히 틀리게 된 셈이다.

강력한 고용지표는 1년 넘게 계속되었다. 빠른 금리인하를 예측하던 많은 강세론자들이 큰 손실을 입고 시장을 떠났다. 그들이 실패한 이유는 빠른 금리인하를 예측했기 때문이 아니다. 예측이 틀렸을 때 자신의 실수를 인정하지않고, 포지션을 수정하지도 않았기 때문이다. 투자는 수익을 낸 사람이 있다고 반드시 손실을 보는 사람이 있어야 하는 게임이 아니다. 단순 결과를 맞췄다고 투자를 잘 하는것이 아니라 예측의 논리적 구조가 얼마나 짜임새 있고 신뢰할만가가 중요하다. 그래야만 예상치 못한 변수가 생겼을 때 교체가 필요한 레고 블록 갈아 끼우듯 필요한 부분만 집어내 대응할 수 있다. 논리적으로 탄탄하지 못한 예측은 사상누각과 같아서 본인의 매수 근거가 명확하지 않다면 쉽게 단기적인 가격 변동에 의해 뇌동매매를 하기 쉽다. a 와 b 라는 요소를 예측하여 c 라는 주식의 가격을 d 로 예측했는데, 미처 알아채지 못한 변수 a'가 금융 환경에 영향을 끼치고 있었다는 것을 알게 되었다고 치자. 그렇다면 투자자는 b' 요소가 기존에 가정했던 d 가격에 영향을 미칠만한 요소인지를 판단해야 한다. 답이 Yes 라면 보유중인 c 주식의 비중조절이 필요한지 판단해야 하며, 변수 a'가 블랙스완(누구도 예상하지 못했던 사건을 의미. 서브프라임 모기지 사태를 예언한 월가의 나심 니콜라스 탈레브의 저서 '블랙 스완'을 통해 유명해진 개념)이었다면 극단적인 경우 손실을 감수하고 c 주식을 전부 매도해야 할 수도 있다.

투자 자산의 종류 숙지하기

앞서 말한대로 정해진 방향성에 맞게 대응해야 한다는 것을 알았다. 그렇다면 어떻게 대응해야 할까? 투자자가 처한 상황에서 가장 유리한 자산에 투자해야 한다. 앞서 얘기했던 것처럼 투자 자산에는 주식만 있는 것이 아니다. 요즘에는 온라인에서 통합하여 관련 정보를 확인하고 매매할 수 있어서 모두 동일하게 현금만 내면 살 수 있는 상품이라고 인식되는 경우가 많지만 주식, ETF, 채권, 원자재, 펀드, 현금, 비트코인 모두 각기 다른 시스템에 종속되어 있는 자산들이며, 동일한 자산도 국가별로 제도와 규제가 상이한 경우도 많다. 예를 들어 최근 인기를 얻고 있는 ETF (Exchange Trade Fund)는 단순히 주식을 모아 놓은 상품이라고 여기는 경우가 많지만 엄연히 기초 자산을 기반의 파생상품이기 때문에 금, 원유, 구리 같은 원자재의 선물 가격을 추종하는 ETF 도 존재한다. 이 경우 만기에 이른 선물 계약을 연장하는 롤오버 비용이 발생하며, 오랜 기간 가격이 횡보할 경우 시세차익은 얻지 못하고 롤오버 비용만 계속 내야 하는 경우가 생길 수 있다. 또한 나스닥을 추종하는 QQQ 처럼 특정 지수를 그대로 추종하는 패시브 ETF 와 국내에 상장된 '2 차전지 ETF' 처럼 기초 지수 대비 초과 수익을 목표로 하여 펀드매니저가 직접 운용하는 액티브 ETF 로 분류되기도 하는데, 패시브 ETF 는 기초 자산이 되는 지수를 100% 그대로 추종하기 때문에 운용 수수료가 매우 적은 반면(0.1~0.2% 내외) 액티브 ETF 는 상황에 따라

운용사가 직접 종목 비중을 조절하기 때문에 운용 수수료가 매우 높은 편이다(1~2% 내외).

또한 각 자산들은 서로 상관관계를 가지고 있다. 쉽게 말하면 원자재 가격이 오를 때, 주식의 가격도 영향을 받는다는 의미이다. 다만 자산 간의 상관관계는 상황에 따라 강할 때도 있고 약할 때도 있다. 예를 들어, 주식과 채권의 가격은 전통적으로 음의 상관관계를 가지고 있다. 즉 주식의 가격이 오르면 채권의 가격이 떨어진다는 의미이다. 다만 채권은 주식에 비해 변동성이 적어서 주식이 10 오른다면 채권의 가격은 3-4 정도 하락한다. 주식의 가격은 금융 환경이 완화되고 경기가 좋을 때 상승하므로, 기본적으로 시장이 상승한다는 쪽에 베팅한다면 주식 : 채권의 비중을 6:4 정도로 구성한다. 이렇게 한다면 주식이 상승할 때 채권은 일종의 보험 역할을 한다. 채권 하락분 만큼 이익은 줄어들겠지만 예상치 못한 하락장이 왔을 때 채권의 가격이 상승하여 주식의 손실분을 상쇄시켜 주는 것이다. 이러한 음의 상관관계는 수십년간 통용되어 왔지만 2022년에는 미 연준의 급격한 긴축으로 유동성이 메마르면서 채권과 주식이 모두 하락했다.

2021년 1월 1.5%였던 미국 10년만기 채권 금리가 2022년 10월 5.0%에 도달했다. 채권 금리가 올랐다는 것은 채권 가격이 그만큼 떨어진다는 의미로, 미국 10년물 채권의 가격은 동기간 40%가까이 하락했다. 주식 리스크 관리를 위해 채권이라는 안전장치를 걸어 두었는데 이 안전장치가 제대로 작동하지 않은 것이다. 그래서 2022년 당시 기계적으로 주식:채권을 6:4 비중으로 설정한 많은 자산운용사들은 처참한 수익률 기록했다. 물론 고객들의 돈을 관리하는 운용사 입장에서는 지난 십 수년간 작동하던 구조를 바꾸기보다는 다소의 손실을 감내하고 동일한 비중으로 다음 해에 반등을 기대하는 것이 안전한 선택이다. 하지만 개인은 다르다. 시장 내 자금의 흐름을 파악한 상태에서 대응에 필요한 도구(Tool)사전에 머릿속에 숙지하고 있었다면 위험 회피를 넘어서 역으로 수익을 낼 수도 있었다. 필자의 에너지 섹터 투자가 그랬다. 모든 자산이 하락할 때 에너지 섹터에 투자하여 주가 시세차익과 함께 환차익까지 얻을 수 있었다. 당시 달러/원 환율은 1,450원에 육박했다.

하지만 세상에는 너무나 많은 종류의 자산이 있고, 개인이 이것을 모두 기억하고 있다가 처한 상황에 맞게 투자하여 세밀하게 대응하는 것은 불가능에 가깝다. 그렇다면 개미는 어떤 방식으로 투자 포트폴리오를 구성해야 할까? 다행히 투자는 정답이 있는 객관식 문제가 아니기 때문에 'A 의 상황에는 a,b,c 자산을 가지고 있어야만 해요.' 같은 공식은 없다. 직장인 투자자는 직장인 투자자에게 적합한 방식으로 포트폴리오를 구성하고 대응하면 된다.

먼저 숙지해야 할 것은 우리가 급여로 받는 화폐인 원화(₩)도 자산의 한 종류라는 것이다. 원화는 한국은행에서 발행한 한국의 공식 화폐로, 우리는 이 화폐를 가지고 필요한 재화를 한국에서 교환할 수 있다. 꼭 필요한 의류/식료품/전자기기 같은 소비재로 교환할 수도 있고, 회사의 자본을 이루는 유가증권 단위인 주식으로 교환할 수도 있다. 주식 같은 금융 상품을 거래하기 위해 수십년 전에는 직접 거래소에 전화를 하거나 방문하여 거래 주문을 넣어야 했지만, 현대에 와서는 기술의 발전으로 주식뿐 아니라 원자재, 채권, ETF, 펀드를 증권사의 HTS (Home Trading Service) 프로그램을 통해 모바일, PC 에서 편리하게 거래할 수 있다. 거래 계좌를 만들었다면 투자에 참여할 준비가 완료된 것이다. 이제 우리는 무엇을 사야 할까?

<국가와 화폐> 당연한 말이지만 한국인이라고 한국 금융자산에만 투자해야 할 의무는 없다. 어플리케이션에서 버튼만 몇 번 누르면 미국, 중국, 일본, 유럽 등 다양한 국가의 자산을 거래할 수 있다. 물론 이러한 국가간 금융 거래는 어느 정도 수요가 뒷받침 되어야만 증권사에서도 현지 금융기관과 계약을 하기 때문에, 보통 국내에서 거래가 많이 일어나는 국가일수록 투자 가능한 자산이 다양해진다. 예를 들어 국내 투자자들이 활발하게 매수하는 국가는 미국으로, 2022 년 기준 한국인의 미국주식 일간 거래액(매수, 매도 통합)은 무려 2.7 조원에 달했다. 미국인들이 매매할 수 있는 모든 주식이나 ETF 를 달러만 가지고 있다면 우리도 동일하게 매매할 수 있는데, 미국 국채 뿐 아니라 애플, 아마존, 마이크로소프트 같은 유명한 IT 공룡들이 발행한 회사채까지 구매할 수 있다. 반대로 아직 주목받은지 얼마 되지 않은 신흥국 멕시코, 인도, 브라질같은 회사의 자산은 현지 통화로 구매할 수 없고

미국이나 영국같은 금융 선진국에 상장된 주식을 매수해야만 하며, 매수할 수 있는 자산의 종류도 한정되어 있다. 예를 들어 한국 투자자가 인도의 주식을 거래하고 싶다면 영국과 미국에 상장된 대표적인 대기업 몇 종목만 매매가 가능하다.

자, 당신은 손에 원화를 쥐고 있다. 이미 원화에 투자하고 있다는 뜻이다. 고작 현금을 들고 있는데 투자한다고 호들갑 떨지 말라고 할 수도 있겠다. 그러나 2022 년 국제결제은행(BIS)기준 전세계 외한 및 장외파생상품 시장 조사에 따르면 외환상품시장의 거래 규모는 일평균 7 조 5 천억 달러로, 원화 기준 1 경원에 달하는 어마 무시한 금액이다. 당신이 코로나 팬데믹 당시 보유하고 있던 모든 원화 자산을 달러로 바꿨다면 약 20%에 달하는 수익을 얻을 수 있었다. 여기에 미국 금융자산의 상승분을 더하면 시세 차익은 훨씬 더 늘어나게 된다. 잊지 말자. 특정 국가의 화폐를 보유하고 있다는 것은 그 국가의 성장에 베팅한다는 의미이다. 즉, 당신은 원화로 월급을 받는 순간부터 강제로 한국에 투자하는 것이다.

특히 코로나 팬데믹과 세계 각지의 분쟁으로 인해 경제가 권역별로 블록화 되어 국가별로 성장률과 투자 수익률이 극명하게 갈리고 있다. 경기 침체와 미국과의 무역분쟁으로 가장 큰 타격을 입은 중국은 2021년 이후 내리막길을 걷고 있다. 특히 중국의 IT 기업이 대거 포진해 있는 항셍 지수는 2021년 30,000 포인트 신고점을 찍은 후 2년만에 반 토막이 났다. 내부적으로는 코로나로 인한 경기침체와 자국 기업의 성장을 저해하는 공산당의 각종 인터넷 기업 규제로 인한 국내 정책의 불확실성, 외적으로는 미국의 중국 제품 관세 규제와 첨단기술제품 수출 금지와 같은 지정학적 리스크가 많은 투자자들을 고통받게 했다.

중국이 고꾸라지는 동안, 인도, 멕시코, 베트남과 같이 중국을 대신하게 될 것이라 여겨진 대체 국가들의 성장률과 투자 수익률은 매우 좋았다. 인도는 역동적인 인구구조, 높은 잠재 성장 가능성이 카스트 신분제, 낮은 생산성과 같은 우려를 불식시키며 인도 니프티 지수 기준 코로나 저점인 9,200 포인트 대비 약 100%가량 상승했고, 멕시코는 미국의 리쇼어링(해외에 진출한 제조기업을 국내로 돌아오게 하는 정책) 정책의 수혜를 받은 니어 쇼어링(근거리 아웃소싱) 효과 덕분에 뉴욕상장 MSCI 멕시코 ETF 기준 코로나 저점 대비 150%가량 상승했다.

또한 팬데믹 기간동안 심화된 공급망 교란으로 인해 폭등한 원자재 가격의 수혜를 본 브라질, 호주, 아르헨티나, 인도네시아 같은 원자재 수출국가들의 금융 시장의 수익률도 매우 성과가 좋았다. 반대로 자원을 수입, 가공하여 수출하는 제조업 중심 국가이면서 미국과도 멀리 떨어져 있는 한국에게는 좋은 환경이 아니었다. 상품의 제조 단가가 올라가고, 정치적 문제로 주요 수출국 중 하나였던 대중국 무역수지가 수십년 만에 적자로 돌아선 데다 미국은 한국의 삼성, 현대, LG 등 대기업에게 자국에 생산 설비를 구축하라며 압박을 하고 있다. 이에 따라 삼성은 미국 텍사스에 250억 달러를 투입해 반도체 파운드리 생산기지를 건설중이지만, 정작 미국 정부는 반도체 지원법(CHIPS Act)의 첫 지원 대상을 자국 국방용 반도체

기업으로 결정하여 인텔과 같은 자국 기업 지원 정책의 들러리가 되는 것이 아니냐는 우려가 나오고 있다.

5년 뒤, 10년 뒤에는 어떻게 될까? 미국과 중국이 화해하고 원자재 공급망이 안정화되어 이전과 같이 정치적 고려 없이 자유롭게 해외에 값싼 가격으로 수출할 수 있는 환경이 돌아온다고 믿는가? 그렇다면 천연자원이 나지 않고 내수 경제만으로 성장이 어려워 수출이 전체 GDP 대비 50%에 달하는 한국에 투자하면 된다. 단, 수출 비중이 높기 때문에 글로벌 경기 사이클에 따라 국가 성장률이 위 아래로 크게 요동칠 수 있다는 사실을 명심하라. 당신이 외국인 투자자라면 이 역동적인 국제 정세 속에서 어느 나라에 투자할 것인가?

<채권과 주식> 현금과 예/적금을 제외하고 주식과 채권은 증권 어플리케이션에서 투자자들이 가장 쉽게 접하고 매매할 수 있는 투자 자산이다. 간단히 설명하면 주식은 회사의 자본을 이루는 조각으로 보유한 주식의 비중만큼 의 경영권을 행사할 수 있다. 채권은 자금을 조달하기 위해 정해진 만기가 되면 원금과 함께 정해진 이자를 지급하는 증서라고 할 수 있다. 주식과 채권을

묶어서 설명하는 이유는 기준 금리에 따라 이 두 자산의 가격이 음의 상관관계를 갖기 때문이다. 채권은 금리인상의 기대감으로 이자 수익률이 상승함에 따라 채권 가격이 하락하게 된다. 기존에 발행된 3% 수익률의 채권보다는 새로 발행되는 6% 수익률의 채권이 투자자들에게 당연히 더 매력적이다. 반대로 기준 금리가 높을 때는 채권같이 원금이 보장되는 상품의 수익률이 높기 때문에 상대적으로 위험자산인 주식의 선호도가 떨어지게 된다. 채권 수익률이 6%인 경우에 주식은 원금 손실의 리스크에 대한 리턴 값으로 6% 이상의 수익을 내야만 채권에 대해 비교우위를 가지기 때문이다. 물론 채권이 원금을 보장하기는 하지만 채권을 발행하는 주체가 파산할 경우, 원금을 보장받지 못한다. 채권은 국가에서 발행하는 국채, 회사에서 발행하는 회사채로 분류된다. 그 중 부도 위험 가능성이 있는(원금 손실 가능성이 있는) 채권은 하이-일드 채권(High-yield bonds)으로 다시 분류되는데, 하이 일드 채권은 고금리 시기 주식보다 안전하며 우량 채권보다 높은 수익률을 기대하는 투자자들에게 수요가 있는 채권이다. 채권은 발행된 채권을 직접 매매할 수도 있고, ETF 의 형태의 상품을 주식과 동일한 방식으로 매매할 수도 있다. 채권 현물을 직접 매수하는 경우 발행 주체의 위험 등급과 만기를 잘 살펴보아야 한다. 만기가 1년 내외인 하이-일드 채권은 은행 적금보다 리스크는 있지만 만기도 짧고 금액 상한선 없이 높은 수익율을 얻을 수 있기 때문에 단기 수익율을 노리는 투자자들에게는 고려해 볼만한 옵션이다. 채권은 안전한 만큼 수익율의 상방도 제한되어 있기 때문에 추후 운용 금액이 커졌을 때 자산 분배 차원에서 상대적으로 리스크가 높은 주식과 함께 투자하며 비중을 조절하게 된다.

주식은 상장 기업에서 발행한 경영권의 조각이다. 주식 지분 보유율이 높아지면 기업의 의사결정에 참여하기도 하지만, 이 책을 보는 독자들의 대부분의 목표는 주가 변동성에 따른 시세 차익을 누리는 것이므로 시세 차익의 관점에서 주식을 설명하겠다. 세상에는 다양한 산업군이 존재하고 각 산업군에는 많은 기업들이 상장되어 있다. 각 섹터는 시대에 따라 흥망성쇠를 거듭하여 산업군 자체가 사라지기도 하고, 새로운 산업군이 나타나기도 한다. 에너지, 금융, 필수소비재 등 옛날부터 존재했던 섹터도 있고 바이오, IT 소프트웨어,

자동공정 등 21세기이후 새롭게 생겨난 섹터도 있다. 특히 IT 소프트웨어 산업은 하위 카테고리에 클라우드, 로봇, 태양광 섹터가 괄목할만한 성장을 이뤄냈다. 따라서 개인 투자자들은 산업과 기술의 트렌드를 읽고, 현재 각광받는 산업이 미래에는 어떻게 될지, 그리고 지금은 별볼일 없지만 미래에 크게 주목받을 산업은 무엇인지 고민해 보아야 한다. 전기차 산업을 예로 들어보자. 테슬라가 처음 세상에 등장했을 때, 사람들은 환호했다. 하이테크 자율주행과 친환경이라는 결합은 투자자들에게 큰 매력으로 다가왔다. 얼리 어답터들은 앞다투어 테슬라 자동차를 구매했고, CEO인 일론머스크가 제시하는 장밋빛 미래는 주식회사 테슬라의 미래 가치를 더욱 높여주었다. 단순히 전기로 움직이는 자동차라는 개념을 넘어 빅데이터에 기반한 첨단기술인 자율주행을 더해 기존 자동차의 생산공정을 통째로 바꾸어 버렸다. 전기 자동차는 동작을 위한 반도체와 OS가 필요하고, 이를 위한 업데이트와 축적한 운행 데이터를 기반으로 한 소프트웨어 향상이 필수화 되어가며 기존 자동차 업계의 선두주자들은 테슬라를 따라잡기 위해 부랴부랴 전기차를 생산하기 위해 막대한 자본을 투하하기 시작했다.

전기차 시장 뿐 아니라 주요 공공시설 거주시설에 전기차 충전기를 설치하기 위해 국가에서 지원에 나서며 관련 시장 역시 크게 성장했다.

여러분이 이미 알고 있을 전기차 시장에 대해 설명한 이유는 이것이다. “그래서 당신은 전기차 주식을 매수할 것인가?” 산업이 유망한 것과 관련 산업이 주식이 상승할 것인가는 분리해서 볼 필요가 있다. 2021년 테슬라 주식 매수를 추천하는 것과 2024년 테슬라 주식 매수를 추천하는 것을 같다고 볼 수 있을까? 당신이 실제로 주식을 매수하기 위해서는 해당 산업군에 대한 공부는 당연히 해야 하며, 그 외에도 다양한 요소들을 고민해 보아야 한다. 아래에 필자가 주식 매수를 결정할 때 고려하는 항목들을 러프하게 나열해 보았다.

계속 성장하고 있는가? : 단기 유행으로 끝날 산업인지, 계속 성장하는 미래산업이 될지 구분해야 한다. 코로나 팬데믹 당시 mRNA 백신으로 크게 상승했던 모더나(티커 : MRNA), 화이자(티커 : PFE)는 2021년 신고점을 찍은 뒤 계속 하락하여, 2년 동안 -50%의 손실을 기록하고 있다.

주주 친화적인가? : 배당만이 주주 친화적인 정책은 아니다. 주가를 상승시키기 위해 기업의 비전과 신기술을 소개하고, 예고 없이 기존 주식의 가치를 떨어뜨리는 행위를 하지 않는 것도 투자자를 존중하는 것이다. 주주 환원에 적극적인 기업의 경우 이익이 크게 증가한 분기에는 자사주 매입이나 특별배당을 발표하기도 한다.

남이 좋다고 해서 사는 건 아닌가? : 남의 말을 듣고 매수를 고민하는 종목이라면 상승의 끝자락에 있는 주식인 경우가 많다. 모두가 알고 있는 좋은 주식이기 때문이다. 특히 단기간 내 급등한 종목에 잘못 물릴 경우, 전고점을 회복하기까지 오랜 시간이 걸릴 수 있다. 살만한 주식은 매수가 망설여지는 종목인 경우가 많다.

우리가 유튜브나 강의에서 보는 교과서적인 주식투자는 다음과 같다. "주식 시장에 상장한 기업은 기본적으로 돈을 벌어야 한다. 추구하는 비전과 그에 기반한 사업 모델을 바탕으로 매출을 일으켜 회사를 지속적으로(중요한 포인트다)성장시키고, 그 과정을 투자자들에게 공유하고, 회사의 이익을 분배한다.

주주는 분배 받은 이익금을 회사에 재투자하여 회사의 성장에 기여한다." 기업은 끊임없이 성장하고 주주는 성장의 과실을 함께 누리며 안정적인 부수입을 얻는다! 세상의 모든 주식 투자가 이렇게 이뤄지면 얼마나 좋을까? 하지만 현실은 그렇게 녹록지 않다. 위 예시가 제대로 작동하는 기업은 애플이나 구글같은 상위 0.1%의 글로벌 대기업 정도일 것이다.
현실에서는 회사 대표가 성과급만 챙기고 도망치거나, 말도 안되는 신사업에 진출하여 수익을 까먹거나, 배당을 줄이고 현금성 자산마나 잔뜩 축적하거나, 주가가 한창 상승할 때 유상증자를 공시해 좋은 분위기에 찬물을 끼얹는 경우도 비일비재하다. 이런 반-주주적 행위가 예상되는 기업을 선별하는 것은 기업의 비전을 보고 투자한 투자자라면 갖춰야 할 덕목 중 하나이다. 한번 이런 행위를 한 기업의 경영진은 언제든지 주주들의 돈으로 사익을 추구하는 행위를 반복할 가능성이 높다. 예전에 필자가 기업의 실적만 보고 투자했던 정유 회사 중 해외 여러 곳에 유전을 가지고 있던 "버밀리온 에너지(티커 : VET)"는 러/우 전쟁으로 유가가 올라 기업의 실적이 증가하자, 배당을 늘리는 대신 해외 유전 자산을 비싼 가격에 인수했다. 그러나 이후 유가가 하락과 함께 인수한 유전의 가치도 함께 하락했고 당연히 그 해 기업의 실적도 좋지 않았다. 임원진은 본인들의 급여를 크게 올렸으나 약속했던 특별 배당을 삭감하고 배당금도 올리지 않았다. 더 작은 규모의 에너지 기업인 "옵시디언 에너지(티커 : OBE)"의 CEO는 에너지 관련 컨퍼런스 사석에서 이런 말을 했다고 한다. "작은 기업의 대표는 회사를 내 마음대로 할 수 있다는 장점이 있지. 하하" 주주를 멍청한 돈줄 쯤으로 보는 발언이다. 이런 CEO가 경영하는 회사의 주식은 매수하지 않는 것이 좋다(이 경우 CEO가 교체된다면 주가에 호재가 될 수 있다).

<원자재> 원자재는 우리가 소비하는 다양한 기초 자원이다. 금, 은, 구리, 석유, 천연가스 외에도 옥수수, 코코아, 소고기, 돼지고기, 오렌지 주스 같은 식료품도 모두 금융 시장에서 거래가 가능하다. 원자재는 주식과 달리 그 자체로 부가가치를 창출하지 않는다. 말 그대로 원자재 그 자체이기 때문에 원자재 투자는 단순히 수요와 공급에 따라 결정되는 가격의 시세차익을 노리는 투자이다. 금을 사서 보유한다고 그 자체로는 성장하지도 않고 배당을 주지도 않는다.

석유는 채굴이 시작된 이래 인류에게 가장 중요한 에너지원이다. 미국은 셰일 혁명 이전까지 원유의 대부분을 해외에서 수입해 왔다. 미국은 패권국의 지위를 공고히 하기 위해 에너지 안보에 큰 영향을 주는 원유를 확보하기 위해 수십년간 중동의 많은 분쟁에 개입해 왔다. 원유는 원자재 중 가장 막강한 영향력을 가지고 있으며, 거래량도 가장 많다. 최근 화두가 되고 있는 인플레이션도 이 원유 가격의 상승이 큰 원인이었다. 미국이 기축통화 지위를 확고하게 다진 요인 중 하나는 중동 최대 산유국인 사우디와 군사 보호를 담보로 원유를 달러로만 거래하겠다는 계약을 키신저가 맺었기 때문이다. 원유는 선물시장에서 거래되며, 필자가 원유 기업을 매수한 것 역시 원자재인 원유 가격에 대한 간접 베팅이었다고 하겠다.

금은 일종의 안전자산이다. 브레턴 우즈 체제가 깨지기 전까지 미국의 달러도 다른 국제 통화와 마찬가지로 금에 가격을 연동시켜 두었다(금 1온스당 35달러). 비록 기축통화의 지위는 잃었으나, 지금도 세계 각 정부들은 긴급 사태에 대비하여 의무적으로 많은 양의 금을 보유하고 있다. 금은 수천년간 그

가치를 인정받은 원자재이며 중요한 산업재 이기도 하다. 다만, 달러가 기축통화인 미국에서 금의 가치가 지나치게 높아지는 것을 경계하기 때문에 금은 달러와 음의 상관관계를 갖는다. 또한 부피 대비 가치가 높아 보관이 용이해 지정학적 분쟁이 일어날 때마다 가치가 상승하는 경향이 있다. 은은 금의 레버리지같은 느낌이다. 금과 용도와 가치가 비슷하지만 더 흔하고 가격 변동성이 크다. 금은 국제 선물 시장에서 거래가 가장 활발하며, 한국의 경우 개인은 KRX 금 거래 시장에서 금을 거래할 수도 있다. 단 현물 거래이기 때문에 별도의 옵션이나 레버리지 같은 파생상품 거래는 할 수 없다. 또한 별도의 KRX 전용 거래 계좌를 만들어야 하는데, 이게 번거롭다면 금을 제련하여 판매하는 기업이나 금 채굴 관련 기업의 주식을 매수하여 간접 투자할 수도 있다.

그 외 옥수수, 코코아 같은 농산물은 세계 기후에 따라 생산량이 달라지고, 태풍, 전염병 같은 자연재해의 요인도 크게 작용한다. 거래량 대부분도 소수의 플레이어에게 몰려있기 때문에 개인 거래는 추천하지 않는다. 다만 다른 원자재와 마찬가지로 글로벌 식품 기업 주식을 매수하는 것으로 간접 투자 가능(ex : 아처 대니얼스 미드랜드 (티커 : ADM))

원자재 거래는 기본적으로 정보 접근이 제한적이며 소수의 플레이어들이 방향성을 정하기 때문에 급등과 급락이 심한 편이다. 따라서 사회 초년생인 직장인 투자자는 원자재 투자를 인플레이션 헤지 차원에서 포트폴리오의 일부만 매수하는 식으로 매매하는 것을 추천한다. 그러나 투자하지 않더라도 관심은 계속 가져야 한다. 예를 들어 금속 원자재 중 하나인 '구리'는 일명 미스터 쿠퍼(Mr.Cooper)로 불리며 글로벌 경기의 선행지표 중 하나로 활용된다. 실제 팬데믹 이후 유동성 공급으로 경기가 회복되며 급격하게 상승한 구리 가격은 2024년 현재 경기침체 우려로 하락한 뒤 횡보하고 있는 모양새다. 또한 안전자산이라 불리는 금은 팬데믹 이후 러시아, 중동, 중국 등에서 벌어지고 있는 분쟁이 가격에 반영되어 역사상 최고 가격에 근접해 있다. 세계 경제가 안정되고 지정학적 리스크가 해소되지 않는 이상, 금 가격이 크게 하락하기는 어려워 보인다.

다양한 원자재가 세계 금융환경과 사회적 이슈, 경제와 밀접하게 연관되어 있다. 산업과 기업을 분석하는 것도 좋지만, 주식 시장은 세계 금융시장의 여러 축 중 하나일 뿐이다. 항상 눈과 귀를 열어놓고 세계 경제와 다양한 자산 가격의 움직임을 살피도록 하자. 투자 환경은 수학 문제와 달리 정답이 정해져 있지 않아 끊임없이 변화한다. 다양한 분야에 관심을 가지고 팔로우해 본인만의 논리를 구축하고 매매의 근거로 활용하라.

3-2. 직장인의 투자원칙

손실은 짧게, 수익은 길게

여기까지 읽은 독자들은 투자란 끊임없이 반복되는 확률 게임이라는 것을 알게 되었을 것이다. 예상이 맞을 때가 있으면 틀릴 때도 있는 게 당연하다. 인터넷이나 유튜브에 나오는 한 종목으로 수백 퍼센트 이익을 본 사람들은 순전히 운이 좋았을 뿐이다. 혹은 그 전 수십번의 손실은 말하지 않은 것일 수도 있다. 유튜브에 나오는 화려하고 성공한 것 같은 사람들의 뒤편에는 당신이 알지 못하는 정말 많은 사람들이 투자 시장에서 손실을 보고 떠났다는 것을 기억하라.

당신에게 동일한 금액으로 10 번의 투자 기회가 주어졌을 때 5 번 잃고 5 번은 수익을 낸다고 가정해 보자. 당신이 이익을 보기 위해서는 어떻게 해야 할까? 당연히 1 회 베팅 당 손실은 작게, 이익은 크게 보면 된다. 그러면 수익과 손실의 횟수가 동일해도 수익의 합이 손실의 합보다 많기 때문에 결과적으로 이익이다. 이론상 아주 심플하다. 매도할 손익 라인을 정하고 무조건 지켜라. 손절 기준을 -10%로 설정했다면, 익절 기준은 그보다 높은 15%~20%로 설정하라. 반등의 기미가 보이건, 더 오를거 같건 무조건 -10%손실이 나면 매도하고, +15~20% 이익이 나면 그 때 매도하라. 그러면 승률이 반반이라고 해도 시간이 조금 더 걸릴수는 있겠지만 수익을 낼 수 있다. 만약 목표 수익률을 초과했는데 추가 상승여력이 많다고 판단했다면 목표 수익률만큼의 가격까지 손절 기준을 높이고 계속 투자하자. 단, 본인의 베팅 승률이 50%가 낮아지는 경우 본인의 매매 로직이 잘못되었을 수 있으니 매매 비중을 낮추고 재정비 시간을 갖는 것이 좋다.

위 투자 방법은 특별히 흠잡을 곳 없이 무난한 투자 원칙으로, 조금만 생각해보면 누구나 떠올릴 수 있는 평범한 아이디어다. 위 방법대로 투자하면 큰 손실 없이 적당히 수익을 내며 자산을 불려나갈 수 있을것 같다. 그런데 왜 많은 투자자들이 돈을 잃는걸까? 사실 그 이유가 중요하다.

손실은 패배가 아니다

많은 개미 투자자들이 손실을 받아들이기 힘들어 한다. 보통 가용 가능한 현금 대부분을 리스크 높은 자산(성장주)에 투자한다. 최상의 시나리오에 따른 최고의 수익률을 기대하기 때문이다. 그러나 평생 한가지 자산에 투자하는 게 아닌 이상, 얻을 때가 있으면 잃을 때도 있는 법이다. 시작 칸을 1로 시작해 100번째 칸에 도달하면 승리하는 보드게임을 해 보았는가?(썸네일 제시) 주사위를 던져야 앞으로 갈 수 있다.

높은 숫자가 나올 때도 있고, 낮은 숫자가 나올 때도 있다. 높은 숫자가 나오면 앞으로 많이 전진하지만 도착한 칸에 설치된 함정에 걸려 고꾸라질 수도 있다. 반대로 운이 좋다면 보물상자를 얻을 수도 있다. 중요한 것은 계속 주사위를 던져 전진하는 것이다. 함정이 무섭다고 주사위를 던지지 않으면 앞으로 나갈 수 없다. 낮은 숫자가 나올 때도 많지만 꾸준히 앞으로 나가다 보면 언젠가는 목표 지점에 도달하게 된다. 투자를 할 때마다 항상 돈을 버는 것은 주사위 눈이 항상 6이 나오는 것과 비슷하다. 불가능하지는 않지만 한없이 불가능에 가까운 일이다. 조금씩 수익을 내며 도착점을 향해 전진하자.

남들은 모두 성공하고 있는 것 같은가? SNS에는 자신의 행복한 순간만 업로드하는 것처럼, 항상 편하게 수익을 내는 것처럼 보이는 사람도 말하지 못한 많은 실패를 겪은 덕분에 지금의 위치에 올라설 수 있었을 것이다. 운 좋게 한두 번 크게 수익을 낸 사람은 얼마 지나지 않아 리스크에 대비하지 않은 대가를 치르게 된다. 잠깐 빛나는 사람은 많지만 꾸준히 빛나는 사람은 드물다. 90세가 넘은 워렌 버핏의 말에 많은 사람들이 지금까지 귀를 기울이는 이유이다. 특정 기간동안 버핏의 수익률 이상을 기록하는 투자자들은 많았다. 그러나 버핏만큼 오랜 기간동안 꾸준히 수익을 낸 투자자는 아직 없다.

기다리지 못한다

투자를 보드게임의 주사위 던지기에 빗대어 말한 내용 중 말하지 않은 것이 있다. 바로 시간이다. 주사위처럼 던지자 마자 수익률이 정해지면 얼마나 좋을까? 하지만 실제 투자의 세계에서는 온갖 불확실한 변수들이 끼어들기 때문에 목표한 수익/손실율에 도달하기까지 얼마나 오래 걸릴 지 알기 힘들다. 금방이라도 올라갈 것 같았던 주식이 매수하자마자 조정을 받기 시작하여 목표한 수익을 내기까지 짧게는 몇 주에서 길게는 몇 달, 몇 년이 걸리기도 한다. 또 어떤 경우에는 목표 수익률에 근접했다가 크게 조정을 받아 1-2% 수익 구간일 때 손실의 두려움을 참지 못하고 매도해 버리기도 한다.

원칙을 지키기 힘든 이유는 짧은 시간동안 너무 많은 생각과 행동을 할 수 있기 때문이다. 실시간으로 정보를 접하고, 즉시 매매가 가능한 환경에 있는 현대에는 특히 더 그렇다. 당장이라도 투자중인 종목에서 돈을 빼 모바일 HTS에서 알려주는 급등주식을 매수해 그동안의 손실을 단번에 만회하고 싶은 마음이 드는 것이 사람이다. 그러나 투자자가 조급해 할수록, 시간은 수레바퀴처럼 느리지만 확실히 흘러 엉덩이가 가벼운 투자자로부터 엉덩이가 무거운 투자자에게 돈을 넘겨준다.

원칙에 예외를 둔다

목표 수익률이 20%인 종목의 수익률이 19%에 도달했는데, 몇 주 동안 조정을 주며 20%에 도달하지 못하고 있다면 당신은 어떻게 할 것인가? 목표 수익률에 도달할 때까지 기다리는 게 좋을까, 아니면 19% 수익률에 만족하고 더 좋아 보이는 종목에 투자하는 게 좋을까?

투자를 하다 보면 누가 봐도 지금 투자하고 있는 것보다 더 좋아 보이는 기회가 눈앞에 찾아올 때가 종종 찾아온다. 단기적으로는 이런 기회를 잡는 것이 더 수익률이 좋을지 모른다. 그러나 비효율적이더라도 장기적인 관점에서는 본인이 정한 투자 원칙대로 매매하는 것이 좋다. 투자를 하다 보면 투자원칙을 어기고 싶은 때가 많다. 그러나 그럴 때마다 원칙을 어기다 보면 원칙은 더이상 원칙이 아니게 되고, 정말 판단을 내리기 어려운 중요한 순간에 원칙대로 행동하기 어려워지게 된다. 우리 앞에는 좋은 기회보다는 기회인 척 하는 위험한 함정들이 더 많다. 실패하기보다 성공하기가 더 어려운 것만 봐도 알 수 있지 않은가? 불운하게 함정을 피하지 못하고 빠졌을 때, 당신이 이성적으로 행동하여 위기에서 빠져나올 수 있게 해 주는 것이 투자 원칙이다. 투자 원칙의 목적은 돈을 많이 벌게 해 주는 것이 아니라 돈을 덜 잃게 해 주는 데에 있다. 투자 원칙을 지킬수록 다양한 상황에서 마음이 흔들리지 않고 기계적으로 대응할 수 있다.

지난 수천년 동안 인간 사회에서는 다수와 함께 행동하고, 공포에 예민하게 반응하여 언제든 도망칠 준비가 되어있는 사람이 살아남았다. 그러나 투자 시장에서 성공하기 위해서는 반대로 행동해야 한다. 공포를 극복하고 남들과 다르게 행동하는 소수가 되어야 한다. '인간은 투자에 성공하기 어렵게 설계 되어있다'는 말이 있다. 실력 있는 투자자는 인간의 본능을 거스르는 투자자이기 때문이다. 투자지식을 책이나 영상으로 아무리 쌓는다 한들 실전을 겪어보면 우왕좌왕하는 것이 당연하다. 어떤 상황에서도 자신이 설정한 원칙대로 매매하려면 반복적으로 연습하여 습관화 시키는 수밖에 없다. 필자가 소액이라도 투자를 권유하는 이유다.

지켜야 내 돈이다

당신의 투자 인생 중 자산이 수익률이 높았던 시점은 언제인가? 팬데믹 버블 당시? 아니면 금리인상 후반기에 바닥을 다지고 반등하던 시기? 당신의 자산이 가장 많았던 시기가 특정 시점이어서는 안된다. 실현한 수익을 잃지 않고 꾸준히 유지시켜야만 부자가 될 수 있다.

"OO에만 안 넣었어도 지금 내가 차를 바꿨을 텐데"라던가, "나도 그 주식에 넣어서 두배 벌었지, 그러고 금방 다 잃었지만" 같은 건 의미 없다. 수익을 낸 것도 칭찬할 일이지만 지키는 것은 수익을 내는 것보다 훨씬 어려운 일이다. 잠깐의 수익에 취해 지키는 것을 소홀히 해서는 안된다. 기억하라. 개인 투자자가 최우선으로 해야 하는 일은 손실을 수익보다 작게 유지하는 것이다. 꾸준히 훈련하면 평균적으로 더 많은 수익을 내게 되고, 더 많은 돈을 투자하게 될 것이다.

얼마나 리스크를 잘 관리하느냐에 따라 동일한 금액으로 시작하더라도 5년 뒤, 10년 뒤 계좌는 크게 달라질 수 있다. 돈을 굴리는 속도에 가속도가 붙어야 하는데, 중간에 돈을 잃으면 속력이 크게 떨어진다. 특히 오래 불려온 자산일수록 약간의 실수에도 손실금액이 커지게 된다. 그렇게 되면 힘들게 올린 돌덩이를 꼭대기에서 밀어 떨어뜨리는 시지프스의 허탈함과 좌절감을 맛보게 될 수 있다. 투자자는 주가가 얼마나 오를지는 알 수 없지만, 손실율은 통제할 수 있다. -10%의 손실을 볼지 -20%의 손실을 볼지는 스스로 정하기 나름이다.

리스크라는 존재는 사내 보안팀과 같아서, 마켓에 큰 문제가 없다면 보통 잘 느끼지 못한다. 보안팀은 평소에는 무슨 일을 하는지조차 모르지만, 그들이 사라지면 영향은 즉각 나타난다. 필자가 일하는 IT 회사를 예로 들면, 만약 보안팀이 사라진다면 평소에는 신경쓰지 않았던 온갖 곳에서 문제가 발생하게 된다. 호시탐탐 우리 서비스를 노리는 해커들에게 좋은 타겟이 된다. 가입 유저 정보를 해킹 당하면 천문학적인 보상금을 물어내야 함은 물론, 기업의 신뢰도가 크게 깎이고 많은 유저들이 이탈한다. 혹은 악성코드로 인해 서비스에 치명적인 버그가 발생하여 여태까지 쌓아 놓은 데이터가 날아갈 수도 있고, 결제 시스템이 마비되어 매출에 큰 타격을 입을수도 있다. 투자도 언제 어디서 어떻게 발생할지 모를 리스크를 신경쓰지 않고 투자를 하다가 타격을 입게 되면, 돌이킬 수 없게 될지도 모른다는 것이다. 리스크를 통제할 수 있게 되면 손실이 발생하더라도 감당 불가능한 수준을 넘어서지 않게 될 것이다. 그렇다면 이 리스크는 구체적으로 어떻게 관리해야 할까?

반드시 원칙을 지켜라

손실이 눈덩이 처럼 불어나는 것을 경험해 본 적 있는가? 개별 종목에 투자하는 경우 어느 날 악재가 발생해 몇일만에 손실율이 -30%가 되는 경우도 허다하다. 이런 경우 투자자들은 패닉에 빠져 다시 회복하겠지, 하고 지켜보거나 급하게 물을 탄다. 그러나 머리속에 세워둔 손절 기준 없이 투자하는 것은 브레이크 없는 자전거를 타는 것과 같아서, 언제든 큰 사고가 일어날 수 있다. 항상 손실을 입을 각오를 단단히 하고, 언제든 손절할 마음으로 투자해야 한다. 만약 어떤 종목의 주가가 악재로 인해 단숨에 당신의 손절가 기준인 -15%에 도달했다고 하자. 일반적으로 급락 이후에는 소폭 반등하는 경우도 있기 때문에 조금 기다리면 다시 주가를 회복할지 모른다. 그러나 만약 반대라면? 당신의 원칙에 위배되는 것이다. 따라서 주가가 손절 기준까지 떨어지면 일말의 기대 없이 매도하는 것이 좋다. 이런 급락은 추가적인 하락으로 이어지는 경우가 많다.

많은 투자자들이 손실을 보고 있는 상황에서 "조금만 회복하면 매도해야지"라고 생각하지만, 막상 회복해도 팔지 않는다. 더

오를 것 같기 때문이다. 그러다가 재차 하락하면 학습효과 때문에 매도하지 않다가 추가 하락을 겪게 된다. 그럼에도 투자자는 "다시 반등하겠지"라고 자기합리화 하며 누적되는 손실을 감내한다. 손실이 회복되기를 기도해서는 안 된다. 오래 버티면 언젠가 회복한다고? 그렇지 않은 종목도 부지기수이며, 설령 회복한다고 해도 당신은 그만큼의 기회비용을 날리는 것이다. '불가피한 상황'같은 건 없다고 생각하자. 계획을 세우고 규칙을 지키도록 하자.

자산을 분배하라

시장의 큰 방향 내에서 각 섹터 별 상승과 하락 이유는 조금씩 다르다. 평소 시장의 자금 흐름을 꾸준히 추적해 왔다면 어떤 섹터에 자금이 몰리고 어떤 섹터에서 빠지는지 보일 것이다. 마켓이 하락할 때 적게 하락하고, 상승할 때 많이 상승하는 섹터가 바로 주도 섹터다. 이런 흐름은 짧게는 6개월에서 길게는 1년 넘게 이어지는데, 이러한 섹터 내 종목에 가장 높은 비중을 싣는 것이 좋다. 2020-2021년 IT

섹터가 그랬고, 2022년 원자재 섹터가 그랬다. 주도 섹터를 파악했다면 이 섹터가 그 외 다른 자산군과 어떤 상관관계를 가지고 있는지 파악해야 한다. 2020년 무제한 양적완화 직후에는 미국의 IT 섹터와 함께 저금리 환경에 대한 기대감으로 신흥국(이머징 마켓)의 자산 가격이 크게 상승했다. 유가가 급등하던 2022년에는 지정학적 위기와 맞물려 금과 달러 인덱스가 유가와 페어링되어 함께 상승하고 하락했다.

주도 섹터에 가장 많은 자금을 투자했다면, 남은 자금의 10-20% 정도는 음의 상관관계에 있거나 상관관계가 없는 자산에 투자하는 것이 좋다. 전자의 경우 헤지의 강도가 높아 리스크 발생 시 손실을 잘 방어해 주는 대신 수익도 그만큼 제한된다. 후자의 경우 손실 방어보다는 조금 더 안정감 있게 수익을 올려주는 것에 초점을 맞추는 투자가 된다. 개인적으로 필자는 주도 섹터 5, 중립섹터 3, 헷지섹터 2 정도의 비중으로 포트폴리오를 분배하는 편인데, 이것을 2020~2022년도를 기준으로 예시를 들면 다음과 같다.

2020, 2021년: 기술 섹터 강세

주 포지션 : 미국 IT 섹터 50%(신흥국으로 대체 가능. 단 이경우 달러약세 방향에 투자한 것이므로 좀더 공격적인 포지션이 된다)
중립 or 약한 양의 상관관계 : 금 30% (채권 숏 포지션으로 대체 가능)
음의 상관관계 : 에너지/부동산 20% (나스닥 숏 포지션으로 대체 가능)

2022년 : 에너지 섹터 강세

주 포지션 : 에너지 섹터 50%
중립 or 약한 양의 상관관계 : 달러 30%
음의 상관관계 : 미국 IT 섹터 20%

보통 기존 주도 섹터에서 큰 수익을 냈던 투자자가 새로운 주도 섹터로 포트폴리오를 전부 교체하는 것은 심리적 저항감으로 인해 쉽지 않다. 대신 현금 비중을 늘리고 기존 주력 섹터의 비중을 늘리는 방법을 택한다. 급격한 주도 섹터 전환 시 많은 투자자들이 이 때 변화를 받아들이지 못하고 시장을 떠나게 된다. 2022년은 에너지 섹터를 제외한 나머지 자산군이 전반적으로 하락하는 약세장이었으므로, 에너지 섹터에 관심을 갖지 않았던 IT 섹터 투자자들은 이런 포지션을 구축했을 것이다.

2022년(IT 섹터 투자자) :

주 포지션 : 달러 50%
중립 or 약한 양의 상관관계 : 금 30%
음의 상관관계 : 에너지 섹터 20%

물론 위 사례는 단순 예시일 뿐, 실제 시장에는 훨씬 다양한 대체 자산이 존재하며, 동일 섹터라도 기업별 실적과 재료에 따라 성과가 크게 갈린다. 실제 투자하는 자산군의 종류도 다양하고 비중도 개인의 취향에 따라 다를 수 있다. 만약 주식 투자 시 개별 종목 투자가 힘들다면 특정 지수나 섹터를 추종하는 ETF를 매수하는 것도 고려해 볼 수 있다. 챕터 1, 2에서 언급했듯, 평소 꾸준히 자산 탐색을 해 왔다면 상황에 따라 균형 잡힌 포트폴리오 구축에 큰 도움이 될 것이다.

빚내지 마라

빚은 레버리지이다. 레버리지란 자신의 자본금을 지렛대 삼아 더 많은 외부 자금을 차입하는 것이다. 좀 거칠게 말하면 '빚내서 돈벌기'라고 할 수 있겠다.

수익률 대비 수익금이 낮을 때 욕심을 내 빚을 내 투자하는 사람이 많은데, 자본금이 적은 개인 투자자가 레버리지 를 일으키는 상황은 보통 다음 두 가지 경우다.

1. 수익이 확실해 보이는데 투자 자금이 부족할 때
2. 손실중인 자산을 추가 매수할 때(물타기)

1번은 기회와 리스크가 상존하는 상황이다. 대출을 받는다는 것은 자신의 능력 이상의 리스크를 지고 투자를 한다는 뜻이다. 투자에 성공한다면 높은 수익을 얻겠지만 실패한다면 감당하기 힘든 손실을 떠안아야 한다. 하지만 투자 상품이 부동산이라면 대출을 적극 고려해 볼 수 있다.

부동산은 기본적으로 매매에 필요한 최소 자금이 주식보다 많기 때문에 섣불리 매매하지 않는다. 또한 정책적으로 저렴한 이자로 대출이 가능하기 때문에 이자에 대한 부담이 비교적 낮다. 또한 다른 자산에 비해 변동성이 적고 매매가 쉽지 않기 때문에 단기간의 가격 움직임에 패닉 셀 할 우려도 적다.
따라서 수십년동안 한국에서 가장 보편적인 자산 상승 수단은 부동산이었고, 정부 차원에서 부동산 가격 부양을 위해 부동산 대출금리 인하, 주택청약과 같은 다양한 정책적 혜택을 제공해 왔다. 이렇게 투자에 호의적인 환경에서 레버리지를 일으켜 부동산을 구매하면 많은 수익을 기대할 수 있었다. 10 억짜리 아파트를 7 억에 전세로 놓으면 본인 돈 3 억원만 투자하면 매수할 수 있는 것이다. 이 아파트가 30%만 상승해도 투자자의 실질 수익률은 100%가 된다. 상승장에서 한국의 부동산은 큰 부를 쌓을 기회이다. 더군다나 부동산은 사이클이 길기 때문에 최근 10 여년간 부동산에 투자했던 사람들은 대부분 수익을 보았다. 여러분 주변에도 부동산으로 손실을 본 사람들은 거의 보지 못했을 것이다. 바로 '부동산 불패'의 신화다. 필자 역시 부동산이 상승중인 상황이 저금리 환경과 맞물린다면 레버리지 활용을 적극 권유 했을지 모른다.

그러나 이 책을 보고 있는 대부분의 직장인 독자들은 부동산 구매 이전 단계에 있는 투자자일 것이다. 주식이나 원자재 같은 자산에 투자하는 경우, 신용대출이나 증권담보 대출 상품을 활용하여 투자 자금을 마련하게 된다. 한국 부자들의 부동산을 제외한 금융자산 보유율은 전체 자산의 20%에 불과하다는 데이터로 알 수 있듯, 국가가 나서서 주식 투자자에게 우호적인 정책이나 제도를 펴지 않고, 큰 손실을 보았을 때 구제해주지도 않는다. 특히 한국 주식 시장은 소수의 지분을 가지고 회사를 장악하고 있는 다수의 재벌 기업들과 대주주 편향적인 금융 제도로 인해 개인 투자자들은 칼 한 자루 쥐고 콜로세움에서 살아남아야 하는 노예 검투사의 심정으로 투자에 임해야 한다.

빚을 내지 말라는 이유는 단순하다. 가격이 하락할 때 손실이 걷잡을 수 없이 커진다는 것. 수익은 조금 덜 내도 된다. 하지만 손실이 커지면 안 된다. 레버리지를 끼고 투자했다가 손실을 크게 내고 대출 만기가 도래했을 때 당신은 원금을 모조리 대출을 갚는 데 사용하게 될 수도 있다. 본인의 친한 3 살 아래인 대학 후배가 있었다. 취업한 지 얼마 안 된 동생은 틈틈이 모은 돈 2 천만원을 가지고 투자를 시작했다. 팬데믹 버블의 흐름을 잘 탄 덕분에 1 년만에 100%의 수익을 냈지만, 동생은 투자금이 너무 작다며 투덜대곤 했다. 그 때가 나스닥 지수의 단기 고점인 2021 년 하반기였다. 필자는 에너지 섹터에 주로 투자하며 수익을 내긴 했지만, 솔직히 당시에는 나스닥에 투자하며 마음 편하게 수익을 내고 싶은 마음도 컸다. 미디어에 나와 모두가 빅테크 기업을 찬양하고, 매 분기마다 CEO 들이 등장해 신기술을 발표하며 투자자들에게 비전을 제시하고 그것이 투자로 이어지는것이 참 부러웠다. 이 시기 동생은 QLD 라는 나스닥 지수 추종 ETF 인 QQQ 의 두 배 레버리지 상품에 투자했다. 상승 시기에는 지수 상승분의 두 배의 수익을 얻지만, 반대로 하락기에는 두 배의 손실을 보게 된다. 2021 년 첫 조정구간동안 QLD 는 15%넘게 하락했고, 그간의 상승에 취해 하락을 견디지 못한 동생은 2 천만원의 신용대출을 받아 추가로 매수했다. 원금의 100%의 대출금을 활용해 지수의 움직임을 두 배만큼 반영하는 ETF 를 매매했으니 사실상

4배의 레버리지를 일으킨 셈이다. 그 다음 동생은 아무것도 하지 않고 계좌도 열어보지 않기로 다짐했다. 즉 속칭 '존버(팔지 않고 버티는 것)'하기로 결정한 것이다. 그동안의 경험상 나스닥 지수는 어느정도 조정을 받고 나면 다시 반등해왔기 때문에, 이번에도 그럴 것이라고 믿었다.

그러나 알다시피 2021년 11월부터 나스닥은 하락을 시작해 1년간 35%가량 하락하며, QLD는 70% 하락한다. 동생은 그동안 단타도 쳐보고 다른 섹터에 분산투자 해보기도 했지만 사람은 자기가 수익을 냈던 종목에 계속 손이 가기 마련이다. 결국 동생은 50%의 손실을 보았다. 대출금만 간신히 모두 갚을 수 있었으나, 그간 벌었던 수익과 투자 원금 2천만원은 모두 잃고 말았다. 바보같아 보이는가? 지금도 수많은 투자자들이 고점에서 무리하게 투자를 했다가 큰 손실을 잃고 시장을 떠난다. 상승장 초반에는 하락을 무서워 하다가 모두가 참여하는 상승장 후반에서야 리스크를 감수하고 큰 금액을 투자하는 것은, 다수의 행동을 따라하려는 인간의 오래된 본능이다.

주식은 그 자체로 가격 변동성이 심하고 빠른 매매가 가능해 투자자가 손실을 보기 쉽다. 5천만원의 자기자본에 5천만원의 레버리지를 더해 총 1억원을 특정 종목에 투자했는데, 해당 종목의 주가가 실적 쇼크로 하루만에 10% 하락했을 때 평온함 유지할 수 있는 투자자가 몇이나 될까? 안전한 우량주에 투자하면 걱정 없다고? 팬데믹 이후 가장 안전한 주식이라고 말하던 구글도 7-8%는 예사로 떨어졌다. 그보다 작은 규모의 기업의 주식은 말할 것도 없다. 그 유명한 워런 버핏의 투자 원칙을 되새겨보자.

"투자원칙 첫번째, 돈을 잃지 마라. 투자원칙 두번째, 첫번째 원칙을 잊지 마라."

너 자신을 알라

많은 사람들이 돈을 벌기 위에 투자에 뛰어들지만, 정작 자신이 가지고 있는 강점이 무엇이고 약점이 무엇인지 알고 투자에 임하는 사람은 별로 없다. 적을 알고 나를 알면 백전백승이라고 했는데 왜 우리는 항상 적(투자 대상)에 대해서만 공부하는 걸까? 자신이 가진 무기를 알아야 적의 약점을 공략하기도 쉽다. 직업을 선택할 때에는 그렇게 신중하게 적성과 흥미를 생각하면서, 왜 투자를 할 때는 그렇게 하지 않을까? 같은 상황에 놓이더라도 투자 대응 방식은 개인의 투자 성향이나 처한 환경에 따라 천차만별이다. 다음 각 항목들은 투자를 시작하는 직장인들에게 자신에게 맞는 투자 전략을 수립하는 데 필요한 기본 정보들이다.

투자 성향 이해하기

자신의 투자 성향을 파악해야 한다. 투자 성향을 바꿀 필요는 없지만, 최소한 자신이 어떤 투자 성향을 가지고 있는지는 알고 있어야 한다. 따라서 본격적인 투자를 시작하기에 앞서, 솔직한 자기 객관화가 필요하다. 먼저, 본인이 감당 가능한 투자 금액이 어느 정도인지부터 알아야 한다. 같은 투자 금액을 가지고 있더라도 100% 투자에 사용하는 사람이 있는가 하면, 비상시를 대비하여 항상 투자금의 50%만 투자하는 사람이 있을 수 있다. 이 비중은 투자 경험을 통해 조금씩 수정되기도 하고, 상황에 따라 유연하게 조절하기도 한다. 투자 경험이 쌓이게 되면 보수적으로 운용던 투자자도 상승장이라고 판단되면 공격적으로 투자 비중을 높일 수 있고, 공격적으로 운용하던 투자자도 하락장에서는 투자 비중을 줄이는 판단을 할 수 있게 된다. 이렇게 자신의 투자 성향을 잘 이해한 상태에서 시장의 변화에 따라 합리적인 판단을 내리는 사람이야말로 훌륭한 투자자라고 할 수 있다.

장기 목표 설정하기

장기적인 투자 목표는 투자 전략의 근본이다. 여기서 '목표'는 단순한 수익률이 아닌, 투자자의 인생에서 중요한 재정적 목표를 가리킨다. 은퇴 계획, 주택 구매, 결혼 기금, 자녀 교육비 등 목표는 다양하다. 이러한 목표에 따라 투자 전략이 달라져야 하며, 이를 통해 투자 포트폴리오의 조성 및 위험도를 결정한다. 예를 들어, 많은 직장 초년생들이 추구하는 주택 구매 자금 마련을 살펴보면, 부동산 시장 분석을 통해 매입할 부동산의 위치와 필요 자금을 정한 후, 약 5년의 기간을 목표로 계획을 세우는 것이 바람직하다. 이 방식은 과도한 위험을 피하면서 분산 투자를 가능하게 하고, 투자 과정에서 발생할 수 있는 위험과 유혹을 회피하는 데 도움이 된다. 목표 금액을 설정하면, 레버리지를 활용하는 상황에서도 자신의 감당 범위 내에서 효율적인 초과 수익을 추구할 수 있다. 마치 프로 마라톤 선수에게 목표 없이 달리라고 하면 중도에 지쳐버리는 것처럼, 목표 설정은 성공적인 투자를 위해 필수적이다.

지속적인 학습

투자 시장은 끊임없이 변화하며, 성공적인 투자자는 이러한 변화에 맞춰 지속적으로 학습하고 적응해야 한다. 이는 경제 뉴스의 추적, 투자 관련 서적 읽기, 온라인 강의 수강 등 다양한 방법으로 가능하다. 인터넷 발달 이전 시대에는 정보를 얻기 힘들었지만, 요즘 같은 시대에는 정보가 너무 많아서 문제다. 좋은 정보를 잘 골라들을 수 있는 능력을 키우자. 경제와 금융에 관한 정보는 투자 결정을 내릴 때 필요한 이론적 기반이 된다. 이러한 정보들은 경제 이론, 금융 시장의 역동성, 경제 사이클, 기업 가치 평가 방법 등에 대한 깊은 이해를 돕는다.

또한 금융 지식 뿐 아니라 역사적인 경제 사건들에 대한 책을 읽는 것도 좋다. 투자자들은 과거의 실수에서 배울 수 있으며, 이를 바탕으로 미래의 투자 전략을 개선할 수 있다. 예를 들어, 과거의 주식 시장 붕괴나 금융 위기에 대한 자세한 내용을 담은 서적은 우리에게 리스크 관리에 대한 경각심을 환기시켜준다. 경제와 금융은 지속적으로 변화하는 분야입니다. 최신 경제 지식과 트렌드를 습득해야만 시장의 동향, 기술 발전, 규제 변화 등을 이해하고 이를 투자 아이디어에 적용할 수 있다.

자기관리

마지막으로 가장 중요하지만 가장 개선하기 어려운 자기 관리다. 투자 결정에서는 감정적인 요소를 최소화하는 것이 매우 매우 중요하다. 시장의 단기적 변동에 과민반응하여 대응할 경우, 장기적으로 99% 손실을 보게 된다. 우스갯소리로 매수한 뒤 증권 어플리케이션을 삭제하라는 말이 있는데, 이는 의외로 효과가 좋은 방법이기도 하다. 자신이 세운 원칙대로 반복적으로 매매를 하면서 감정을 죽이는 연습을 해야 한다. 좋은 기분도 나쁜 기분도 투자에는 좋지 않다. 이를 위해서는 평소에도 건강하고 규칙적인 습관을 들이는 것이 좋다. 정해진 시간에 수면을 취하고, 영양 균형이 잡힌 식단을 삼시세끼 잘 챙겨 먹도록 하자. 운동도 필수다. 투자의 관점에서 운동을 통한 체력 증진의 중요성은 간과되기 쉽지만 매우 중요한 요소다. 정기적인 운동은 스트레스 호르몬을 감소시키고, 엔도르핀과 같은 기분 좋은 호르몬의 분비를 촉진하여 스트레스를 관리하는 데 도움을 주며, 뇌 기능을 개선하고 기억력, 집중력, 문제 해결 능력을 향상시켜 준다. 이는 투자자가 복잡한 금융 정보를 분석하고 효과적인 전략을 수립하는 데 필수적인 요소이다. 건전한 신체에 건전한 정신이 깃든다는 말이 있듯, 철저한 자기 관리는 철저한 감정 관리로 이어진다.

작가의 말

복리의 마법이란 무엇인가? 복리는 일정기간마다 원금에 이자를 합하고 그 총 합계금액(원리금)에 대한 이자가 다시 붙는 계산 방법이며, 이 복리가 쌓이면서 내는 자산축적 효과가 일반적인 상상을 넘어서기 때문에 만들어진 말이다.

예를 들어 1,000 만원을 연 10%의 복리로 운용한다고 해보자(이것도 쉬운 일은 절대 아니다). 10 년간 투자했을 때 이자/수익에 대한 이자의 합계는 593 만원이다. 만약 그 두 배인 20 년간 투자했다면? 이자/수익은 3727 만원으로 불어나게 된다. 여러분이 미국 소프트웨어 기업 마이크로소프트에 투자한다고 가정해보자.

마이크로소프트는 1975 년 미국 뉴멕시코주에서 빌 게이츠가 창립한 기업으로, 현대 가정용 컴퓨터의 90% 이상을 점유하고 있는 Microsoft Windows OS 를 소유하고 있다. 최근 몇년동안 클라우드 컴퓨팅에 공격적으로 투자하여, 기존의 캐시카우였던 운영체제 부문의 매출을 뛰어넘고 있는데, Micro Office 는 엑셀, 워드, 파워포인트 등 사실상 비즈니스 업계 표준 오피스 프로그램들을 클라우드 시스템과 연동시켜 새로운 비즈니스 모델을 창출해 내고 있다. 또한 Xbox 로 콘솔 게임업계에 도전하여 게임업계의 큰손으로 급부상하고 있으며, 최근에는 스타크래프트, 디아블로 등 유명한 IP 를 다수 보유하고 있는 게임 개발사 블리자드 엔터테인먼트를 인수 중에 있으며 최근에는 자체 AI 를 개발하여, 자사의 검색 포털인 빙, 오피스 프로그램 등 모든 서비스에 광범위하게 적용하여 새로운 부가가치를 창출해 내고 있으니, 그야말로 4 차 산업혁명 시대의 돌격대장이라고 할 수 있겠다.

1990 년 1$였던 마이크로 소프트의 주가는 2023 년 7 월 $330 를 돌파하여 무려 330 배가 오른 반면, 동일 시기 국내 대졸 초임 기준 연봉은 대기업이 대략 1,200~1,500 만원이었으니, 2023 년 기준으로 넉넉하게 잡아도 3-4 배 정도 오른 게 고작이다. 1,500 만원 기준 물가 상승률을 2.5%로 설정하고 30 년 복리로 계산하면 3,140 만원이다. 즉, 3,140 만원은 받아야 1990 년 기준 1,500 만원을 받는 셈인데, 결과적으로 물가 상승률을 제외한 실질 임금 상승률은 매우 미미하다.

우리는 최근 복리의 마법이라는 말을 귀에 못이 박히게 들어왔다. 복리의 마법을 예찬하는 많은 사람들과 미디어는 이렇게 말한다. “우량한 기업 혹은 자산에 타이밍 상관 없이(이미 여기서부터 틀렸다) 아무 신경 쓰지 않고(여기도) 오랫동안 넣어만 둘 수 있다면(그리고 여기도) 복리를 누리며 편하게 자산 상승 효과를 누릴 수 있다.”

위의 사례 외에도 여러분은 무수히 많은 복리의 마법에 대한 이야기를 들었을 것이다. 무슨 주식을 샀는데 몇배가 올라서 부자가 됐다더라, 어디 부동산을 사서 묵혔더니 대박이 났다더라 등등. 여기까지 듣고 나면 투자를 안 하는 게 바보 같다는 생각이 들지 모른다. 젊은 시절 힘들게 취업을 준비해서 입사한다 해도 모두가 선호하는 일부 직장이나 전문직을 제외한 대부분의 직장은 당신에게 충분한 급여를 제공하지 않는다. 월급을 아껴 적게는 월 수십만원 저축해봐야, 그 속도 이상으로 자산의 가치가 더 빠르게 상승하는 것을 보았을지 모른다.

그러나 먼저 말해야 할 것이 있다. 당신은 복리의 마법을 누릴 수 없다. 정정하겠다. ‘쉽게’ 누릴 수 없다. 복리를 쉽게 누릴 수 있다는 말은 축구선수로 치면 한 시즌동안 매 경기 3골씩 넣었다는 것과 같다. 상대가 일부러 져주거나 실력차이가 심하게 나는 경우, 이론상으로 가능한 일이지만, 세상은 이것을 보통 '사기'라고 표현한다. 그렇다면 왜 많은 미디어와 사람들이 왜 복리의 마법이 당신을 쉽게 부자로 만들어 준다고 하는 것일까? 말로 듣기엔 쉬울 것 같기 때문이다. 이론상 쉽지만 실현 가능성은 0에 가깝다. 복리의 마법은 마치 상상 속 실험실에서 이루어진, 모든 환경과 조건이 통제된 실험실에서 이루어진 완벽한 연구 결과이며, 마치 이론물리학과 같다. 들으면 그럴듯 하지만 실제로 구현된 적은 손에 꼽거나, 아주 먼 미래에 증명된다 예를 들어 어떤 제약회사에서 "새로 개발한 약품을 섭취하면 IQ가 증가한다"는 가설을 증명하기 위해 두 실험 참가자를 데리고 실험을 한다고 가정해 보자. 이 두 사람은 섭취한 약품을 제외한 모든 조건이 동일해야 한다. 두 사람은 동일한 방식의 IQ 테스트를 받아 세부 요소까지 정확히 일치하는 동일 점수를 받아야 한다. 세부 항목별로 약품이 미치는 영향력이 다를 수 있기 때문이다. 두 사람이 자라온 환경도 완벽히 같아야 한다. 같은 지역에서 태어나 같은 것을 먹고, 같은 교육을 받으며 같은 친구를 사귀고 같은 감정의 변화를 거쳐왔어야 한다(감정 측정을 어떻게 할 것인가 라는 의문은 옆으로 치워두자). 심지어 사고나 질병도 동일하게 겪어야 하며, 같은 사고를 겪었더라도 부상당한 부위까지 같아야 한다. 무의식 중에 우리의 뇌는 모든 강렬한 사건, 사고를 기억하기 때문이다. 이렇게 모든 조건을 통제하지 않는다면 실험하고자 하는 약품이 IQ 에 미치는 영향을 명확히 측정할 수 없다.

물론 현실에서는 금전적, 시간적 제약으로 인해 이렇게 엄격한 조건 하에서 연구를 진행하지 않으며, 그렇게 할 수도 없다. 연구자들은 훨씬 러프한 기준을 가지고 실험을 진행한다. 관련 부처에 로비를 한다거나, 실제 법적 제한을 아슬아슬하게 지킬 수 있는 선에서 실제 유의미한 효과가 없더라도 약품을 출시하고 판매할 수 있다.

유의미한 효과의 기준은 또 무엇인가? 누군가는 유의미하다고 느끼는 것이 누군가에게는 무의미하다고 느낄 수도 있다. 사람이 느낄 수 없는 수치라 할지라도 숫자의 변화가 일어난다면 유의미한 것인가? 실제 실험은 기업이건 정부건, 혹은 비영리 단체건 특정 집단으로부터 요청을 받아 이뤄진다. 즉, 시험자의 목적은 '완벽한 실험'이 아니라, 원하는 결과를 도출할 수 있는 '그럴듯한 데이터'를 만드는 것이다.

이 비유를 투자로 옮겨보면 다양한 실험 조건은 자산 규모, 투자 기간, 종목 선정, 거시경제 상황 등이며, 성공적인 실험 결과는 바로 수익을 내는 것이다. 바로 이 부분이 실험과 다른 점이다. 실험은 기존 가설에서 벗어날 경우, 조건을 다시 설정하여 실험하면 그만이다. 혹은 가설에서 벗어난 결과 그 자체만으로도 의미를 가질 수 있다.

그러나 투자는? 잘못된 설정 값으로 시행되고 도출된 데이터는 실험에 실패하여(손해) 즉시 당신의 계좌에 손해로 찍혀 눈앞에 펼쳐진다. 조건을 바꾸어 다시 실행한다면? 줄어든 당신의 계좌를 기준으로 다시 실험이 진행될 것이다. 운이 좋아서 이번에는 실험에 성공(수익)했다고 하더라도, 손해를 본 것 보다 더 많은 수익을 내야 한다(50% 손해를 보았다면 100%의 수익을 내야 본전이다).

그렇다면 당신은 여기서 멈출 수 있을까? 한 번 잃고 한 번 수익을 봤으니, 한 두 번만 더 수익을 낸다면 승리할 수 있다고 생각할 것이다. 이전에 했던 방식으로 동일하게 베팅을 하면 동일한 수익을 낼 수 있다고 생각한 당신은 다시 여러 번 실험을 진행하지만, 결과는 예상과 다르게 나온다. 분명 나는 동일한 종목에 동일한 가격일 때 동일한 액수만큼 투자를 했는데 왜 어떤 때는 잃고, 어떤 때는 수익을 보는 것인가? 투자 환경이 달라졌기 때문이다.

시중에 풀린 돈의 양이 과거와 동일해야 하며, 최신 트렌드를 선도하는 섹터가 과거와 동일해야 하며, 새로 참가한 투자자 혹은 탈락한 투자자도 없어야 하며, 그들이 모두 과거와 동일한 포지션으로 기계적으로 매매해야 한다.

"에이, 그런 상황이 어디 있어?"라고 생각하는가? 왜 이러한 가정은 말이 안 된다고 여기면서, 복리의 마법은 실현 가능하다고 여기는 걸까? 복리의 마법도 마찬가지다.

그럼에도 불구하고 수많은 사람들이 복리의 마법을 꿈꾸며 투자 시장에 발을 들였다가 쓴 맛을 보고 이내 발걸음을 되돌린다. 고통 없는 수익은 마약과 같아서, 종국에 당신을 파멸로 이끌 것이다. 우리는 주변에서 수익을 냈다는 얘기를 많이 듣는다. A가 무슨 주식에 넣고 묻어뒀더니 얼마를 벌었다더라, 무슨 코인이 호재로 열 배 올랐다더라 등등. 그들은 자신의 수익에 대해서만 이야기하고, 손해는 이야기하지 않는다.

투자의 세계는 복잡하고 때로는 예측 불가능할 수 있다. 하지만 꾸준히 단련하여 자신만의 규칙과 전략을 갖추고 이를 다듬어 나갈 수 있다면, 이 복잡한 세계 속에서도 다양한 성공의 길을 찾아낼 수 있을 것이다. 투자는 단순히 자산 증식을 위해 하는 것이 아니라 여러분의 꿈과 목표를 실현하는 여정이다. 이 책이 사회 초년생 여러분의 투자 여정에 도움이 되길 빌며, 우리 모두가 미래에 은퇴할 나이가 되어서는 노련한 투자자가 되어 안정적이고 충만한 삶을 살기를 바란다.